DIPLOMAT™
by/par DANBY

CUISSON AU FOUR A MICRO-ONDES
Comment utiliser votre four à micro-ondes
Recettes pour toutes les occasions

MICROWAVE COOKING
How to use your microwave oven
Recipes for every occasion

Félicitations! Vous êtes maintenant propriétaire d'un four micro-ondes Diplomat des Produits Danby Limitée. Avec notre manuel d'instructions et ce livre de recettes, vous serez maintenant en position d'apprécier le monde excitant de la cuisine micro-ondes à la maison. Le four micro-ondes que vous avez choisi est l'un des plus moderne et efficace disponible sur le marché actuellement, il vous procurera des années d'excellent service et comblera tout vos besoins culinaires. Ce livre de recettes vous permettra d'expérimenté de nouveaux plats et recettes et vous démontrera comment il est facile de cuisiner avec un four micro-ondes Diplomat.

Nous savons qu'au début, peut-être votre four micro-ondes ne sera-t-il qu'un accessoire à votre cuisinière électrique ou au gaz, mais nous pouvons vous assurer que aussitôt que vous serez familier avec ce produit et les nombreuses recettes qui vous sont fournies, il vous sera aussi indispensable que votre principal appareil de cuisson dans votre maison.

Sincèrement,

DANBY PRODUCTS LIMITED
P.O. Box 1778
Guelph, Ontario
N1H 6Z9

Branches: Montreal, Guelph, Winnipeg, Calgary, Vancouver

Congratulations! You are now a proud owner of a Diplomat Microwave Oven by Danby Products Limited. In conjunction with our operating manual and this cookbook you are now in a position to enjoy the exciting world of microwave cooking in your own home. The Diplomat Microwave you have selected is one of the most modern and efficient units available in the marketplace today and will provide you with years of excellent service and will handle all your cooking requirements. This cookbook will enable you to experiment with many new dishes and recipes and will show you just how easy it is to cook in a Diplomat Microwave.

We feel, initially, perhaps your microwave oven will be an accessory to your current electric or gas cooking range, but assure you as you get more familiar with the product and the numerous recipes which are available to you, that it will become indispensible as your main cooking appliance in your home.

Sincerely

DANBY PRODUCTS LIMITED
P.O. Box 1778
Guelph, Ontario
N1H 6Z9

Branches: Montreal, Guelph, winnipeg, Calgary, Vancouver

Contents

Introduction 6-16

Appetizers 18

Meats 22-34

Poultry 38-44

Fish and Seafood 48

Casseroles 52

Eggs and Cheeses 56-58

Sauces and Toppings 62-66

Soups and Stews 70

Pastas, Grains and Cereals 74-80

Vegetables and Other Side Meals 84-94

Sandwiches 98

Breads, Muffins and Coffee Cakes 102-104

Sweets and Treats 108-116

Beverages 120-122

Special Extras 126-128

Appendix 130-136

Table des matières

Introduction 6-16

Amuse-gueules 19

Viandes 23-35

Volaille 39-45

Poissons et Fruits de mer 49

Casseroles 53

Oeufs et Fromages 57-59

Sauces et Chapelures 63-67

Soupes et Ragoûts 71

Pâtes, Grains et Céréales 75-81

Légumes et autres Hors-d'Oeuvre 85-95

Sandwiches 99

Pains, Muffins et Gâteaux au café 103-105

Sucreries et Délices 109-117

Boissons 121-123

Extra speciaux 127-129

Appendice 131-137

Introduction

THE THEORY OF MICROWAVE COOKING

Microwaves are short, high frequency radio waves similar to those you receive on a TV set. They are generated by an electronic tube called a magnetron. From the magnetron tube, micro-waves enter through openings located in the top of the oven, penetrate and heat the food in the oven. In order to obtain uniform heat distribution in the food, the microwaves are evenly distributed by a device called a "stirrer". The stirrer, shaped like a fan, scatters the microwaves evenly throughout the oven.

microwaves have three characteristics. Microwave energy can be:

Introduction

THEORIE DE LA CUISSON PAR MICRO-ONDES

Les micro-ondes sont des ondes radio à courte et haute fréquence semblables à celles que vous recevez sur un appareil de télévision. Elles sont produites par un tube électronique qu'on appelle 'magnétron'. De là, les micro-ondes passent à travers les ouvertures placées au haut du four, pénétrent et chauffent les aliments dans le four. Afin que la chaleur se distribue uniformément dans les aliments, les micro-ondes sont également distribuées par un dispositif qui s'appelle 'remueur'. Ce remueur, modelé comme un van, disperse les micro-ondes partout également dans le four.

Les micro-ondes peuvent être:

REFLECTED

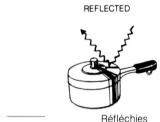

Réfléchies

TRANSMITTED

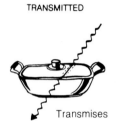

Transmises

ABSORBED

Absorbées

REFLECTION

Microwaves are reflected by metal objects, therefore, the oven interior is coated with epoxy paint for reflection purposes. A mechanical stirrer distributes the microwaves evenly throughout the oven.

TRANSMISSION

Microwaves will pass harmlessly through materials such as glass, ceramics, paper and certain plastics. No change takes place in these materials since they do not absorb or reflect microwaves. This is why cooking utensils made of these materials are ideal for cooking and remain cool in a microwave oven. The heat that can build up in these utensils is from the food, not the microwaves.

ABSORPTION

Anything that is moist will absorb microwaves. When microwaves enter moist objects, a molecular reaction occurs. The molecules begin to vibrate causing heat by friction. This action causes the food to cook.

REFLEXION

Les micro-ondes sont réfléchies par des objets métalliques, et c'est pourquoi l'interieur du four est peint avec de la peinture époxyde. Un remueur méchanique distribue les micro-ondes partout uniformément dans le four.

TRANSMISSION

Les micro-ondes passeront à travers des matériels comme le verre, la porcelaine, les papiers et certains plastiques sans les endommager. Ces matériels ne se déforment jamais car il n'absorbent et ne réfléchissent pas les micro-ondes. C'est pourquoi les ustensiles constitués de ces matériels sont idéaux pour la cuisson et restent froids dans le four à micro-ondes. La chaleur qui peut s'accumuler dans ces ustensiles provient des aliments et non pas des micro-ondes.

ABSORPTION

Tout ce qui est humide absorbera les micro-ondes. Lorsque les micro-ondes entrent dans les objects humides, il se produit une réaction moléculaire. Les molécules commencent à vibrer et font sortir la chaleur par la friction.

Microwaves can penetrate food up to a depth of one inch.
Large foods are cooked internally by conduction of the vibrating molecules toward the center. Microwaves dissipate and can not be retained in food.

MICROWAVE COOKING UTENSILS

Microwave cooking offers a host of conveniences in selection of cooking utensils. New shapes and materials are developed and introduced all the time. Don't, however,run out and buy all new cooking utensils. First, inventory the cooking utensils you already have on hand. You will be surprised how many items you already have that are microwave oven safe.

GLASS-CERAMIC-CHINAWARE most of these items are excellent for use in a microwave oven provided they do not have metal parts or metallic trim on them. Most fine chinaware is decorated or trimmed in gold, platinum or silver and is very thin or delicate and should not be used in a microwave oven. The thicker, sturdier chinaware, without trim, however, is suitable, delicate glassware should not be used as it cannot stand the stress of heat and may break. The heat is transmitted from the contents to the utensil, which causes breakage.
Ceramic mugs or cups with glued on handles should not be used as the glue will absorb microwaves and separation will occur.
Dishware that is cracked or crazed should not be used as they may not be able to withstand heat.
Several manufacturers identify microwave oven safe utensils either of the utensil itself or with an accompanying brochure.
One of the most popular manufacturers of microwave utensils is Corning® Corning® now marks its products "good for microwave" or "good for range and microwave."
Corning's Pyrex® without metallic trim is also microwave oven safe.

Cette action fait cuire les aliments. Les micro-ondes peuvent pénétrer dans les aliments jusqu'en profondeur d'un pouce.
Les gros aliments sont cuits intérieurement par la conduction des molécules vibrantes vers le centre. Les micro-ondes se dissipent et ne risquent pas d'être retenues dans les aliments.

USTENSILES DE CUISSON PAR MICRO-ONDES

La cuisson par micro-ondes offre beaucoup de commodités en ce qui concerne la sélection des ustensiles de cuisson. Les nouveaux formats et matériels sont continuellement développés et introduits toujours. Cependant n'utilisez pas et n'achetez pas, au hasard, tous les ustensiles. Tout d'abord dresser l'inventaire des ustensiles de cuisson que vous avez déja en main. Vous serez tout étonné en sachant combien d'articles vous avez déja qui sont bons pour le four à micro-ondes.

VERRE-CERAMIQUE-PORCELAINE la plupart de ces items sont excellents si vous voulez les utilisez dans le four à micro-ondes pourvu qu'ils ne contiennent pas de parties ou de bordures métalliques. Presque toutes les belles porcelaines chinoises sont décorées ou bordurées d'or, de platine ou d'argent, et par conséquent elles sont très minces et délicates et ne peuvent être utilisées dans le four à micro-ondes. Celles qui sont plus épaisses et plus fermes sont convenables, cependant, il ne faut pas utiliser les ustensiles de verre délicat, car ils ne supportent pas l'intensité de chaleur et risquent de se fendre. La chaleur est transmise du contenu à l'ustensile, et ceciprovoque la rupture.

Les pots ou les tasses en céramique avec des poignées collées sont inutilisables, car la colle absorbera les micro-ondes et ceci risque de décoller les poignées.
Plusieurs fabricants identifient les ustensiles qui sont utilisables dans le four à micro-ondes par une marque sur les ustensiles ou encore par une brochure accompagnant l'ustensile en question
Un des fabricants les plus populaires des ustensiles de micro-ondes est Corning®
Corning® aujourd'hui marque ses produits par 'bon pour micro-ondes' ou 'bon pour fourneau et micro-ondes'. Corning's Pyrex avec la bordure métallique est aussi en sûreté pour le four à micro-ondes.

Generally, only Centura tableware and Cor-elle® closed handle cups (both by Corn-ing) cannot be used in the microwave oven. Other popular manufacturers of microwave oven safe utensils are Fire King® by Anchor Hocking, French Cookware® by Marsh In-dustries, Glassbake® by Jeannette Glass, Glass Ovenware® by Heller Designs and pro-ducts by Federal Glass® Dinnerware such as Temper-Ware® by Lenox and Franciscan® Casual China that is Marked ovenproof is usually safe to use. The following heat-resistant glass cookware is highly recom-mended for microwave use:

- Loaf dishes
- Mixing bowls
- Measuring cups
- Pie plate
- Round or square cake dishes
- Casserole dishes, covered or uncovered
- Oblong baking dishes
- Custard cups

With all the varieties available remember a few simple basic rules:

DO NOT USE:
- Utensils with metal bands, clips, screws or trim
- Delicate glassware or stemware
- Dishware that is cracked or crazed
- Mugs or cups with glued handles

WHEN IN DOUBT:
How to west a utensil for safe microwave oven use:
- First, measure 1 cup of water in a glass cup.
- Next, place in the oven beside the utensil to be tested.
- Heat for 3 minutes at Full Power. If the utensil is warm it has absorbed some microwave energy and should not be used. If the containers is microwave oven safe, it should remain cool and the water should be not.

PAPER is a convenient product to use for food with los moisture of fat content. The cooking time should be short in duration.

Généralement, seuls les plats Centura et les tasses à poignée fermées de Corelle® (de Corning aussi) ne peuvent être utilisés dans le four à micro-ondes.
D'autres fabricants populaires des articles en sûreté du four à micro-ondes sont Fire King® de Anchor Hocking, French Cookware® de Marsh Industries, Glassbake® de Jeannette Glass, Glass Ovenware® de Heller Designs et les produits de Federal Glass® . Les plats tels que Temper-Ware® de Lenox et Franciscan® Casual China marqués 'bon pour le four' sont ordinairement sûrs à utiliser. Les ustensiles en verre qui résistent à la chaleur sont grandement recommandés pour votre four à micro-ondes:

- Bols à mélanger
- Tasse à mesurer
- Moules à pain
- Assiettes à tarte
- Moules à gâteaux, ronds ou carrés
- Casseroles, couvertes ou non
- Pots ou Tasses avec les poignées collées
- Plats de cuisson oblongs
- Tasses de crème

Avec toutes les variétés disponibles, garder en mémoire quelques simples règles fondamentales suivantes:

NE PAS UTILISER:
- Ustensiles avec les colliers, les pinces, les vis ou la bordure métalliques
- Plats en verre fragiles
- Plats craquelés ou fendus
- Pots ou Tasses avec les poignées collées

EN CAS DE DOUTE
Comment vérifier si un ustensile peut être employé dans votre four à micro-ondes:
- D'abord, mesurer 1 tasse d'eau dans une tasse en verre.
- Et puis, la placer dans le four à côté de l'ustensile en question.
- Chauffer pendant 2 minutes sur HIGH. Si l'ustensile est chaud, ceci prouve qu'il a absorbé un peu d'énergie de micro-ondès et il devrait ne pas être utilisé. Si les récipients sont en sûreté pour le four à micro-ondes, ils doivent rester froids tandis que l'eau dedans doit être chaude.

PAPIER est une substance appropriée à utiliser pour les aliments aux ingrédients moins humides et moins gras. La durée de cuisson doit être réduite. Les serviettes en papier, les

Napkins, paper towels, cups, plates, cardboard, freezer wrap and wax paper are all handy utensils. Avoid wax coated plates and cups as the heavy coating of wax will be melt due to high food temperatures. Wax paper, however, can be used to prevent grease spatters. Paper is also used to absorb fat and excess moisture. For example, a popular way to cook bacon is to place a paper towel or napkin on a paper plate. Lay bacon strips side by side on the towel or napkin and cover with another napkin or towel. The paper will absorb the excess bacon grease.

CAUTION: Some recycled paper products may contain impurities that could cause sparking (arcing) or fires when combined with hot fat.

JARS AND BOTTLES are suitable for warming or reheating leftovers, warming baby food, etc. provided metal caps and lids are removed first. Only warming temperatures and short periods are recommended because jars and bottles are not usually heat resistant and they may crack or break during extended cooking times.

PLASTIC: dishes, cups and some freezer containers can be used in the microwave oven. Choose carefully, howver, because thin items may melt or become pitted from the heat of the food. A "dishwasher safe" label is a good sign that the container will also be microwave oven safe. Plastic should not, though, be used for cooking over an extended period of time or with foods having a high fat or sugar content.
•Containers labeled UDEL® (by union carbide) and polysulfone plastic are very durable for microwave cooking.

PLASTIC WRAP may be used in place of lids to cover dishes for most recipes. With high temperatures or extended cooking time, some

essuie-tout, les tasses, les assiettes le carton, la couverture de sorbetiere et le papier sont tous des ustensiles pratiques. Eviter d'utiliser les assiettes et les tasses cirées, car l'épaisse couche de cire risque de fondre si la température pour la cuisson des aliments est élevée. Cependant le papier ciré peut être utilisé pour empêcher les éclaboussures de graisse. Le papier est utile aussi pour absorber la graisse et la moteur excessives. Par exemple, une façon populaire de cuire le bacon est de placer les serviettes en papier sur l'assiette en papier. Placer les tranches de bacon côté à côté sur la serviette et puis recouvrir avec une autre serviette. Le papier absorbera l'excédent de graisse de bacon.

REMARQUE: Quelques objets en papier recyclés risquent de contenir des impuretés qui peuvent provoquer des étincelles ou des éclaboussures lorsqu'elles sont combinées avec la graisse chaude.

POTS ET BOUTEILLES sont appropriés pour le chauffage ou réchauffage des restes, le chauffage des aliments de bébé, etc, pourvu que les couvercles métalliques soient enlevés à l'avance. Or les pots et bouteilles n'étant pas résistants à la chaleur ordinairement et lis risquent d'être craquelés ou fendus, seulement les basses températures de chauffage et la durée réduite sont recommandées.

PLASTIQUE: Les plats, les tasses et certains récipients de congélateur peuvent être utilisés dans le four à micro-ondes. Cependänt choisir avec soin, car les articles légers pourraient être fondus ou fendus par la chaleur des aliments. L'étiquette "bon pour le lave-vaisselle" est une bonne instruction que les récipients sont en sûreté aussi pour le four à micro-ondes. Cependant les plastiques ne doivent pas être utilisés pour une longue durée de cuisson ni pour des aliments ayant un contenu élevé de graisse et de sucre.
• Les répicients étiquetés UDEL° (Par l'union carbide) et les plastiques polysulfone sont très durables pour la cuisson par micro-ondes.

EMBALLAGE PLASTIQUE pourrait être utilisé au lieu de couvercles pour recouvrir les plats de presque toutes les recettes. Des températures élevées ou une longue durée de

disfiguration may occur. It is advisable to puncture a few holes in the wrap to allow excessive steam to escape. Remove plastic wrap covers slowly and away from you to avoid steam burns.

COOKING BAGS designed for conventional oven use may be used in a microwave oven provided small slits are made near the top of the bag to allow excess steam to escape. When using twist-ties made of metal, insure the ends are securely wrapped around the bag as shown.

CAUTION: Do not use ordinary plastic storage bags for cooking.

Utilisation de l'attache autour du sac de cuisson

Using twist-tie on cooking bag.

HEAVY STRAW, WICKER AND WOOD UTENSILS may be used in your microwave oven for short periods in order to warm bread and rolls. Large or thick wooden utensils should not be used for prolonged periods as they may become very dry and brittle.

METAL UTENSILS must be avoided in microwave cooking. Keep in mind, utensils with metal straps, fastners, clips or screws should not be used as they may cause arcing. Arcing is a static discharge or sparking between gaps in the metal or between the metal and the interior of the oven. Arcing may cause damage to the oven walls. Some metal can be helpful when used correctly. You may use small amounts of ALUMINUM FOIL safely if the food being cooked is a much greater mass than the amount of foil being used. Small pieces of foil may be used to cover the wings of chickens, tips of roasts or other thin parts of meat that cook fast. The foil will act to slow the cooking of these parts since metal reflects microwaves. This will prevent overcooking of these parts.

cuisson pourraient entraîner certains déformations. Il est recommandé de percer l'emballage pour permettre à la vapeur excessive de s'échapper. Enlever les couvercles d'emballage plastique lentement et les placer à une distance de vous pour ne pas vous brûler.

SACS DE CUISSON désignés pour le four conventionnel pourraient être utilisés dans le four à micro-ondes pourvu qu'ils aient quelques petits trous pour faire échapper la vapeur excessive. En utilisant l'attache, s'assurer que les extrémités sont envieoppées complètement autour du sac. (Voir ci-dessous)

REMARQUE: Ne pas utiliser les sacs en plastique pour la cuisson.

LES USTENSILES DE PAILLE COMPACTE, D'OSIER ET DE BOIS sont utilisables dans votre four pour les durées courtes afin de chauffer le pain ou les petits pains. Les ustensiles de bois gros ou denses ne devraient pas être utilisés pour les durées prolongées, car ils risquent de devenir extrèment secs et fragiles.

LES USTENSILES METALLIQUES NE doivent Pas être utilisés pour la cuisson par micro-ondes. Faire attention: il ne faut pas utiliser les ustensiles avec des courroies, des agrafes et des vis métalliques, car ils risquent de provoquer des étincelles. Ce phénomène est la décharge ou l'étincellement entre les trous dans le métal ou entre le métal et l'intéreiur du four. Ces étincelles pourraient endommager les parois du four. Certains métals peuvent être utiles s'ils sont utilises correctement. Vous pouvez utiliser le papier d'aluminium sans aucun danger lorsque le volume des aliments à faire cuire est plus grand que la quantité de papier utilisé. Les petits morceaux de papier d'aluminium peuvent être utilisés pour recouvrir les ailes de poulets, les extrémités des rôtis ou d'autres parties peu épaisses de viande qui cuisent rapidement. L'aluminium ralentira la cuisson de ces parties étant donné que le métal réfléchit les micro-ondes. Ceci empêchera ces parties de trop cuire.

RÉCIPIENTS COUVERTS D'ALUMINIUM tels que les cartons du lait, les récipients de concentré de jus congelé ou les récipients à four utilisés avec quelques mixes pour les gâteaux ne doivent pas être utilisés dans le four à micro-ondes.

FOIL LINED CONTAINERS such as milk cartons, frozen juice concentrate containers or the baking containers used with some cake mixes should NOT be used in a microwave oven.

FROZEN DINNER TRAYS can be used in the microwave oven, but because all heating is from the top, they should be no higher than ¾-inch for best results.

TWIST TIES used with cooking bags may be used if the ends are wrapped securely around the mouth of the bag and no loose ends appear. (See illustration)

METAL SKEWERS may be used if the food mass is large in proportion to the metal. Exercise care in placing the skewers in the oven to prevent arcing between skewers or between the sides of the oven and the skewers. Wooden skewers are preferred and can be purchased in most groceries and department stores.

THERMOMETERS for use in microwave cooking are specially designed for that purpose and available in most department stores.

CAUTION: Do not use conventional mercury, candy or meat thermometers in your microwave oven.

BROWNING DISHES are used to sear various cuts of meat and meat patties. The dish must first be preheated several minutes at HIGH POWER. This will allow the special coating on the bottom of the·dish to absorb microwave energy and become very hot. When foods are placed in the browning dish, searing will occur. The following suggestions are offered for proper care and use of browning dishes:

- Pre-heat dish according to accompanying directions.
- Check information included with browning dish before use.
- Add oil or butter only after pre-heating.
- Use pot holders or oven glove to remove dish from oven.
- Never use browning dishes on gas or electric ranges or in conventional ovens.
- Do not use browning dish and temperature probe together.

PLATEAUX A DINER CONGELE sont utilisables dans votre four, mais parce que toute la chaleur sort du haut, ils doivent ne pas dépasser ¾ pouces de haut pour de meilleurs résultats.

LES ATTACHES utilisées avec des sacs de cuisson pourraient être utilisables si les extrémités sont enveloppées sûrement autour de l'ouverture des sacs et qu'il n'y a pas de ficelles dégagées.

BROCHETTES METALIQUES sont utilisables pourvu que le volume des aliments soit grand par rapport au métal. En plaçant les brochettes dans le four, prendre soin d'empêcher les étincelles entres les brochettes ou entre elles et les côtés du four. Les brochettes de bois sont préférables et d'ailleurs on peut les trouver dans presque toutes épiceries et les grands magasins.

THERMOMETRES à utiliser pour la cuisson par micro-ondes sont spécialement inventés dans ce but et procurables dans presque tous les grands magasins.

REMARQUE: Ne pas utiliser le mercure conventionnel, les thermomètres de confiserie ou de viande dans votre four à micro-ondes.

PLATS DE DORAGE sont utilisés pour dorer les tranches variées et les petits pâtés de viande. Le plat doit être préchauffé pendant plusieurs minutes sur HIGH POWER. Ceci permettra au revêtement spécial sur le fond du four d'absorber l'énergie des micro-ondes et de devenir très chaud. Dès que les aliments sont placés dans le plat de dorage, commencera le rissolage. Les suggestions suivantes vous sont offertes pour le soin et l'utilisation des plats de dorage:

- Préchauffer le plat suivant les instructions suggérées
- Vérifier l'information comprise avec le plat de dorage avant de l'utiliser
- N'ajouter d'huile ou de beurre qu'après le préchauffage
- Utiliser les tenailles de plat ou le gant du four pour sortir le plat du four.
- Ne jamais utiliser le plat de dorage sur le gaz ou le fourneau électrique ou dans les fours conventionnels.
- Ne pas utiliser en même temps le plat de dorage et la sonde de température.

• Clean in dishwasher or with hot, sudsy water. Do not use steel wool, plastic scrubbing pads or scouring powder on surface of browning dish.

OTHER BROWNING TECHNIQUES: Meats and poultry cooked 10 to 15 minutes or longer brown from their own juices. Foods cooked for shorter periods can be aided with the help of browning sauces such as Worcestershire sauce or soy sauce, brushed over the meat before heating, these sauces neither add or take away from the original flavor of the meat. Baked goods that require short cooking time will not brown but when frosted no one will notice. For quick breads or muffins, you may substitute brown sugar for granulated sugar or the surface can be sprinkled with dark spices.

SPECIAL HINTS FOR PREPARING RECIPES

Ingredients

All ingredients are used as taken from their normal storage area. As an example, eggs and milk would be added to the recipe cold since they would be taken from the refrigerator. Canned ingredients should include the liquid unless the recipe specifies DRAINED. Other recipe factors are:

- Flour—use all-purpose.
- Milk—use homogenized whole milk.
- Sugar—use granulated white sugar.
- Eggs—use grade A large.
- Amounts—use cup, teaspoon, etc. for standard measure.

Factors Which Affect Cooking

Several factors which influence timing and results in conventional cooking are exaggerated by microwave speed.

• Nettoyer dans le lave-vaisselle ou avec de l'eau chaude savonneuse. N'utilisez pas de laine d'acier, de brosse de plastique ou de poudre à récurer sur la surface des plats de dorage.

D'AUTRES TECHNIQUES DE DORAGE: Les viandes et la volaille cuites en 10 à 15 minutes se rissolent par leurs propres jus. On peut dorer les aliments cuits pendant une courte durée à l'aide des sauces de dorage telles que sauce worcestershire ou sauce soja enduites sur la viande avant le réchauffage, ces sauces n'ajoutent et n'ôtent rien à la saveur originale de viande. Les aliments au four qui nécessitent une courte durée de cuisson ne se rissolent pas, cependant une fois congelés ainsi personne ne s'en apercevra pas. Pour les pains rapides ou les muffins, vous pourrez remplacer la cassonade au sucre cristallisé, ainsi la surface peut être saupoudrée d'épices brunes.

CONSEILS SPECIAUX POUR PREPAPER VOS RECETTES

Ingrediénts

Tous les ingrédients sont utilisés comme étant sortis de leur endroit normal de conserve. Par exemple, les oeufs et le lait seront ajoutés à la recette, froids, puisqu'ils seront sortis du réfrigérateur ordinairement.
Les ingrédients en conserve doivent inclure le liquide à moins que la recette ne précise pas ÉGOUTTÉS.
D'autres facteurs de recette sont:

- Farine—utiliser tous les besoins.
- Lait—utiliser le lait homogénéisé entier.
- Sucre—utiliser le sucre blanc cristallisé.
- Oeufs—utiliser le grade A large.
- Quantités—utiliser la tasse, la cuillère à café pour la mesure standard.

Les facteurs qui affecte la cuisson

Quelques facteurs qui influencent le réglage du temps et les résultats dans la cuisson conventionelle sont exagérés par la vitesse de micro-ondes.

Timing

A cooking time range (example: 2½ to 3 minutes) is given in each recipe. The reasons are to allow for varied food shapes and electrical volt output which is changeable during peak usage hours. Remember, time can always be added to properly cook various recipes, once food is overcooked, however, the situation cannot be reversed. An AP-PROXIMATE COOKING TIME is given for each recipe. If a recipe is cooked in two batches, the approximate cooking time includes the total cooking time for all batches.

Spacing

When possible, arrange smaller food items in a circular pattern for equal microwave energy distribution. This applies to potatoes, fruit or hors d'oeuvres. When placing food in a baking dish, always place around the edges. Never stack food on top of each other.

Réglage du temps

Une indication du temps de cuisson (exemple: 2½ à 3 minutes) est dans chaque recette. La raison est pour considérer les divers types des aliments et la puissance du voltage électrique qui est changeable pendant les heures d'utilisation maximum. Gardez en mémoire: le temps peut toujours être additionné pour cuire proprement les recettes variées, cependant une fois surcuits, les aliments ne peuvent retrouver leur état originel. Un TEMPS APPROXIMATIF DE CUISSON est donné pour chaque recette. Si cette recette est cuite en deux fournées le temps approximatif de cuisson inclue déjà un temps de cuisson supplémentaire.

Disposition des aliments

Si possible, arranger les petits aliments dans un modèle circulaire pour la distribution égale de l'énergie de micro-ondes. Ceci s'applique aux pommes de terre, aux fruits ou aux hors d'oeuvre. Mettez-les toujours sur le bord du plat de cuisson. Ne jamais empiler les aliments les uns sur les autres.

Disposer les aliments dans un modèle circulaire

Arrange food in circular pattern.

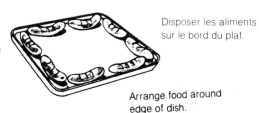

Disposer les aliments sur le bord du plat.

Arrange food around edge of dish.

Turning & Rotating

Depending on food shape and mass, microwave energy will concentrate in certain spots. This is particularly true of poultry and certain cuts of meat. Layers of fat will cook faster if the heating pattern is not broken. When a dish is rotated, food will cook more evenly. In the same manner, some foods should be turned in the container during heating. Recipes will indicate turning and rotating instructions.

Tour et Rotation

L'énergie de micro-ondes se concentrera dans certains points suivant le type et le volume des aliments. Ceci est vrai en particulier de la volaille et de certaines tranches de viande. Les couches de graisse cuiront plus vite si le modèle de réchauffage ne change pas, tandis que les aliments cuiront plus uniquement si on déplace un plat en rotation.
De la même manière, les mêmes aliments doivent être retournés dans le récipient pendant le chauffage. Les recettes indiqueront les instructions concernant les tours et les rotations.

Stirring

When stirring is necessary, it is best to bring the cooked outside edges toward the center and the less cooked center toward the edges. Recipes will indicate the amount of stirring required.

Covering

Covering foods reduces spattering and shortens cooking times by retaining heat. One's choice of cover also helps control the rate of evaporation in a particular recipe. For example, if you want to develop a drier surface, don't cover or use a paper towel. For maximum moisture retention, use a glass lid or plastic wrap. Remember, all covers must allow for a certain amount of pressure to be released. In using plastic wrap, be sure to make a small slit in the top to allow excess steam to escape: Regular casserole dish covers, etc. need no alterations for this purpose.

Standing Time

Most foods continue cooking by conduction after the oven is off. Standing time is necessary for the center portions of food to complete cooking without over cooking the outside. Meats should stand 15 to 20 minutes while a shorter time is required for casseroles and vegetables.

Converting Recipes from Conventional Cooking to Microwave Cooking

If you want to use an old favorite recipe in your new microwave oven, timing is probably the most difficult factor to consider. A few basic rules are suggested:

- Reduce conventional cooking time to ¼ for microwave use.
- Try to find a similar recipe and use the same time and temperature.

Remuage

Lorsque le remuage est nécessaire, le mieux est de déplacer les bords extérieurs cuits vers le centre et le centre moins cuit vers les bords. Les recettes indiqueront combien de fois il faut remuer.

Couvercle

Les aliments couverts retiennent la chaleur et réduisent l'éclaboussure et aussi le temps de cuisson par la chaleur retenue. Votre choix de couvercles aide aussi à contrôler le taux d'évaporation dans une recette particulière. Par exemple, si vous voulez une surface plus sèche, ne pas utiliser les serviettes en papier. Pour les ingrédients en teneur d'eau maximum, utiliser un emballage de plastique. Attention: Tous les couvercles doivent permettre à une certaine quantité de pression d'être lâchée. En utilisant les emballages de plastique, s'assurer de faire une petite fente en haut pour laisser la vapeur excessive s'échapper. Les couverts réguliers des casseroles ne nécessitent pas de modifications pour ce but.

Temps de repos (Standing Time)

Presque tous les aliments continuent de cuire même après que le four soit ouvert. Le temps de repos est nécessaire pour la cuisson complète des portions du centre sans surcuire l'extérieur. Les viandes doivent attendre 15 à 20 minutes tandis que les casseroles ou les légumes nécessitent un temps plus réduit.

Conversion des recettes de cuisson conventionnelle en celles par micro-ondes

Dans le cas où vous voulez utiliser votre vieille recette favorite dans votre nouveau four à micro-ondes, le réglage du temps est probablement le facteur le plus difficile à considérer. Quelques règles fondamentales sont suggérées:

- Réduire le temps de cuisson conventionnelle d'un ¼ pour l'utilisation de micro-ondes.
- Essayer de trouver une recette semblale et utiliser la même durée et la même température.

- Do not add salt to meat before cooking as it tends to toughen meat. Other spices may be used freely. Salt may be addes after cooking or at time of eating.
- In baked goods, reduce leavening agents by ¼ and increase liquids by ¼. Baking hints are offered in chapter.
- Ingredients for stews and casseroles should be sliced to a uniform size for even cooking.

INFORMATION FOR REHEATING FOODS.

You can use plate containing a combination of foods when reheating precooked food, when all members of the family cannot eat at one time, reheating is a great benefit. Remember, reheated foods need only be heated to a temperature comfortable to the plate and therefore need not be heated as high as their original temperatures.
Some general guidelines to follow:

- Place only one plate at a time inside the oven.
- Cover dish with either a lid or plastic wrap to retain moisture. It will also help the food to heat faster.
- Arrange "Quick-heating" foods around the edge of a plate and "slow-to-heat" foods in the center of a plate.

PRECAUTIONS TO AVOID POSSIBLE EXPOSURE TO EXCESSIVE MICROWAVE ENERGY

(a) **Do not attempt to operate this oven with the door open** since open-door operation can result in harmful exposure to microwave energy. It is important not to defeat or tamper with the safety interlocks.

(b) **Do not place any object** between the oven front face and the door or allow soil or cleaner residue to accumulate on sealing surface.

INFORMATION POUR LE RECHAUFFAGE DES ALIMENTS

Vous pouvez utiliser une assiette contenant une combinaison des aliments dans le cas du réchauffage des aliments précuits, et le réchauffage est une grande bénéfice quand tous les membres de famille ne peuvent être à table en même temps. Attention: ce n'est pas la peine de chauffer les aliments (à réchauffer) jusqu'à leur température originelle, car il suffit de les chauffer à la température confortable pour le plat. Quelques instructions générales à suivre:

- Ne mettre qu'un plat à la fois dans le four.
- Recouvrir le plat pour retenir l'humidité soit d'un couvercle soit d'un emballage de plastique. Ceci aide aussi à chauffer les aliments plus rapidement.
- Arranger les aliments 'au chauffage rapide' à l'entour du bord d'une assiette et ceux 'au chauffage lent' dans le centre d'une assiette.

PRECAUTIONS CONTRE LE DANGER EVENTUEL DE L'ENERGIE EXCESSIVE DE MICRO-ONDES

(a) **Ne pas essayer de faire fonctionner le four avec la porte ouverte, car ceci** risque de provoquer éventuellement un danger de l'exposition à l'energie excessive de micro-ondes. Il est important de ne pas dérégler ou abîmer le dispositif de verrouillage de sécurité.

(b) **Ne placer aucum object** entre la face avant du four et la porte, et ne pas laisser de saleté ou de résidu de récurant sur la surface de fermeture.

(c) **Do not operate the oven** if it is damaged. It is particularly important that the oven door close properly and that there is no damage to the:
(1) door (bent)
(2) hinges and latches (broken or loosened)
(3) door seals and sealing surfaces

(d) **The oven should not be adjusted or repaired** by anyone except properly qualified service personnel.

COOKING PRECAUTIONS FOR THE MICROWAVE OVEN.

1. Eggs must not be cooked or reheated in the shell, or with an unbroken yolk. To do so may result in a pressure build-up and eruption. Pierce the yolk with as fork or knife before cooking. Do not reheat cooked eggs unless they are scrambled or chopped.
2. Potatoes, tomatoes or other foods with a "skin" must only be cooked in the microwave oven after the skin has been pierced. You should be sure that all foods with an outer skin or natural covering are pierced to allow steam to escape during cooking.
3. Pop corn must only be popped in the microwave oven in the specially designed microwave oven popcorn popper. Do not pop corn in paper bag or in glass vessel.
4. Deep fat frying must not be done in the microwave oven. The fat could overheat, becoming impossible to handle.
5. Canning must not be done in the microwave oven.
6. Do not operate the oven empty! Either food or water should always be in the over during operation to absorb microwave energy.

(c) **Ne pas faire fonctionner le four** s'il est endommagé. Il est particulièrement important que la porte du four soit fermée correctement, et qu'il n'y a aucun défaut;
(1) à la porte (déformée)
(2) aux charnières et aux verrous (abîmés ou desserrés)
(3) aux joints de la porte et aux surfaces de fermeture

(d) **Ne pas effectuer la réparation ou le réglage du four** à l'exception du personnel d'entretien spécialement qualifié.

PRÉCAUTIONS SUR LA CUISSON AU FOUR A MICRO-ONDES.

1. Les oeufs ne doivent pas être cuits ou réchauffés dans leur coquille, ou avec leur jaune d'oeuf crevé. Un tel procédé resultera en un accumulement de pression et d'une éruption.
Percer le jaune d'oeuf à l'aide d'une fourchette ou d'un couteau avant de le faire cuire.
Ne pas réchauffer des oeufs déjà cuits à moins qu'ils soient brouillé ou battus.
2. Toutes pommes de terre, tomates ou tout autre aliment vêtu d'une pelure doit être percé avant d'être cuit au four à micro-ondes.
Prière de vous assurer que tout aliment vêtu d'une pelure extérieure ou de membranes soit pércé pour permettre à la vapeur de s'échapper durant la cuisson.
3. Le Pop corn doit être éclatés que dans le contant spécialement concu pour le micro-ondes.
Ne pas faire éclater le pop corn dans un sac en papier ou un bol en verre.
4. La friture ne doit pas être faite dans le four à micro-ondes. La graisse pourrait trop cuire et devenir impossible à maintenir.
5. Vos conserves ne doivent pas être faites dans le four à micro-ondes.
6. Ne pas faire fonctionner un four vide. Il doit toujours avoir des aliments ou de l'eau dans le four lorsqu'il est en marche afin que ces derniers absorbent l'énergie de micro-ondes.

Appetizers

CHEESE'N BACON STICKS

Approx. Cooking Time: 12 min.
Yield: 8 pieces

4 slices of bacon
8 pencil-thin cheese flavored bread sticks

1. Slice bacon in half lengthwise, and wrap each half around breadstick in spiral fashion. Line a glass plate with   layers of paper towels.
2. Place the bread sticks on the dish and cover with a single paper towel. Heat for 9 to 12 minutes until crisp.

STUFFED MUSHROOMS

Approx. Cooking Time: 27 min.
Yield: about 24 mushrooms

1 pound medium fresh mushrooms
  (about 24), cleaned
4 slices bacon, chopped
¼ cup finely chopped onion

1 cup soft bread crumbs
¼ cup grated parmesan cheese
¼ teaspoon pepper

1. Remove mushroom stems and finely chop 1 cup; reserve.
2. In medium glass bowl, heat bacon and onion 4½ to 5 minutes until bacon is crisp, stirring once; drain.
3. Stir in reserved mushroom stems, bread crumbs, cheese and pepper. Stuff mushroom caps with bread crumb mixture and on glass platter.
4. Arrange 12 in circular pattern. Heat. covered, 9 to 10 minutes, turning dish once. Let stand, uncovered, 3 minutes before serving; repeat procedure.

Variations:
For SPINACH stuffed mushrooms, *partially thaw 1 package (12 oz.) frozen spinach souffle. Cut into squares and place in mushroom caps; sprinkle, if desired, with onion salt. Heat as directed above.*

Amuse-gueules

BATONNETS DE BACON AU FROMAGE

Temps Approx. de Cuisson: 12 min.
Rendement: 8 pièces

4 tranches de bacon
8 batonnets de pain minces comme
    crayons, parfumé au fromage

1. Trancher le bacon en deux dans la longueur, et envelopper chaque moitié autour de batonnets de pain dans une forme spirale. Placer dans une plaque de verre deux feuilles de serviette en papier.
2. Placer les batonnets de pain sur le plat et couvrir avec une serviette en papier. Chauffer pendant 9 à 12 minutes jusqu' à ce qu'ils soient croustillants.

CHAMPIGNONS FARCIS

Temps Approx. de Cuisson: 27 min.
Rendement: environ 24 champignons

1 livre de champignons moyens frals
    (environ 24) épluchés
4 tranches de bacon haché
¼ tasse d'oignon finement haché

1 tasse de miettes de pain mou
¼ tasse de fromage parmesan
    haché
¼ cuillerée à café de poivre

1. Retirer les queues des champignons et hacher finement (1 Tasse): mettre de côté
2. Dans un bol moyen en verre, chauffer le bacon et l'oignon 4½ à 5 minutes jusqu' à ce que le bacon soit croustillant, en remuant une fois; égoutter.
3. Ajouter, tout en remuant, les queues de champignons mises de côté, les miettes de pain, le fromage, et le poivre. Farcir les chapeaux de champignons avec le mélange des miettes de pain et sur un plat de verre.
4. Disposer 12 en une forme circulaire. Chauffer, couvert, 9 à 10 minutes, en tournant le plat une fois. Laisser reposer, sans couvrir, 3 minutes avant de servir; répéter ce procédé.

*Variantes:
Pour Champignons farcis d'EPINARDS, *décongeler partiellement 1 paquet (12 onces) de soufflé congelé d'épinard. Trancher en carrés et placer dans les chapeaux de champignon; saupoudrer, si vous voulez, de sel d'oignon; chauffer suivant les directions au-dessus.*

Memo

Meats

SPECIAL HINTS FOR ROASTING MEATS

- Place roast, cleaned and wiped dry, on microwave oven safe roasting rack in a shallow baking dish. If this specially designed rack is unavailable, an inverted saucer or casserole lid works well in holding the roast out of its juices.
- Loosely cover the baking dish with a paper towel prevent splattering.
- Drain juices as they accumulate in baking dish. If desired, reserve for making gravy.
- Cover thin points of meats (less meaty portions) with aluminum foil half way through cooking to prevent over-cooking of these areas. Wooden toothpicks can be used to hold the foil in place.
- Let stand, covered, 10 to 15 minutes after cooking. This time allows the temperature to equalize throughout. The internal temperature will rise 5°F to 10°F . . . a good time to prepare gravy or a vegetable.
- Use a cooking bag or covered casserole when cooking less tender cuts of meat (pot roast, etc.) These should be surrounded by liquid (soup, broth, etc.) to help foods retain moisture, producing a tender, juicy roast.
- Prepare cooking bag as package directs. The enclosed twist-tie may be used to seal the cooking bag; be sure to wrap ends tightly around the closure (and do not allow the ends to stick up). Make six half-inch slits near the top to allow excess steam to escape.

Viandes

- Placer le rosbif, lavé et essuyé, sur le gril en sûreté pour le four à micro-ondes dans un plat de cuisson peu profond. Si vous n'avez pas ce gril inventé spécialement, vous pourrez utiliser une soucoupe inversée ou un couvercle de casserole pour maintenir le rosbif hors de ses jus.
- Couvrir légèrement le plat de cuisson avec une serviette en papier pour éviter l'éclaboussure.
- Egoutter le jus, car il s'accumule dans le plat de cuisson. Si cela est nécessaire, réserver pour l'occasion de faire la sauce au jus.
- Couvrir les morceaux minces de viande (les portions moins dodues) avec le papier d'aluminium pendant la moitié du temps de cuisson pour éviter de trop cuire ces parties. Les curedents de bois peuvent être utilisés pour maintenir le papier à sa place.
- Laisser reposer, couvert, 10 à 15 minutes après la cuisson. Ce temps permet à la température de s'égaliser à l'intérieur. La température interne montera de 5°F à 10°F. . c'est une bonne durée pour préparer la sauce ou un légume.
- Utiliser un sac de cuisson ou une casserole couverte pour la cuisson des tranches de viande moins tendres (rôti au pot etc.) Celles-ci doivent être entourées de liquide (soupe, velouté, etc) pour aider les aliments à retenir la moiteur, en produisant un rôti tendre et plein de jus.
- Préparer le sac de cuisson suivant les directions du paquet. L'attache enserrée peut être utilisée pour fermer le sac de cuisson; s'assurer d'emballer les extrémités fortement autour de la couverture (et ne pas les laisser se dresser). Faire des trous de 6½ pouces près du haut pour faire sortir la vapeur excessive.

TIPS FOR PREPARING CONVENIENCE MEATS

- A variety of meats, especially bacon*, may be cooked between layers of paper towels to prevent oven splatter. It is advisable to use non-coated paper plates to absorb excess grease.
- Meat placed on roasting racks may be covered with wax paper to prevent oven splatter. Wax paper will not absorb excess fats or grease.
- After cooking, let stand, covered, 1 to 3 minutes before serving.

ITEM	AMT.	COOK TIME (in min.)
Beef Patties, frozen	1	3½ to 4
(3½ oz. ea.)	2	5 to 6
	4	7½ to 9
Bacon, slices	2	1½ to 2
	3	2 to 3
	4	3 to 4½
	8	6½ to 8
Canadian bacon, slices	2	1½ to 2
(2 oz. ea.)	4	3 to 4
	8	4½ to 6
Frankfurters, scored	2	2 to 3
	4	4 to 5
Ham, slices	2	2 to 4
(about 2 oz. ea.)	4	4 to 5
Hamburgers	1	1 to 2
(4 oz. ea.)	2	2 to 3
	4	5 to 5½
Sausage Links, frozen	2	1½ to 2
(precooked, brown	4	2 to 3
and serve)	8	4½ to 6
**Sausage Links, fresh	2	3 to 4½
(1 to 2 oz. ea.)	4	6 to 7½
	8	10 to 11
Sausage Patties, fresh	2	1½ to 4
(1 to 2 oz. ea.)	4	3 to 6

*Cooking more than 8 pieces of bacon on paper utensils is not recommended.
**Meat covered with casings (sausage, etc) must be pierced with a fork prior to heating to prevent bursting. It is also advisable to brush with a browning sauce before cooking.

CONSEILS POUR LA PREPARATION DES VIANDES PRATIQUES

- Une variété de viandes, le bacon en particulier*, peuvent être cuites entre les couches de serviettes en papier pour éviter l'éclaboussure du four. Il est recommandable d'utiliser les plaques en papier non-recouvertes pour absorber l'excédent de graisse.
- La viande placée sur les grils de rôtissage peut être couverte de papier ciré pour empêcher l'éclaboussure du four. Le papier ciré n'absorbera pas l'excédent de graisse.
- Après la cuisson, laisser reposer, couvert, 1 à 3 minutes avant de servir.

ARTICLES	QUANTITE	TEMPS DE CUISSON (en min.)
Pâtés au boeuf congelés	1	3½ à 4
(3½ onces chacun)	2	5 à 6
	4	7½ à 9
Tranches de bacon	2	1½ à 2
	3	2 à 3
	4	3 à 4½
	8	6½ à 8
Bacon à la canadienne,	2	1½ à 2
tranches (2 onces chacune)	4	3 à 4
	8	4½ à 6
Saucisses de Francfort	2	2 à 3
fendues	4	4 à 5
Tranches de jambon	2	2 à 4
(environ 2 onces chacune)	4	4 à 5
Hamburgers	1	1 à 2
(4 onces chcun)	2	2 à 3
	4	5 à 5½
Rondelles de saucisse congelées	2	1½ à 2
(précuites, dorer et servir)	4	2 à 3
	8	4½ à 6
Rondelles de saucisse fraîches**	2	3 à 4½
(1 à 2 onces chacune)	4	6 à 7½
	8	10 à 11
Pâtés à la saucisse	2	1½ à 4
frais (1 à 2 onces chacun)	4	3 à 6

*Il n'est pas recommandable de cuire plus de 8 morceaux de bacon sur les ustensiles en papier

**La viande couverte de garnitures (saucisse, etc) doit être percée avec une fouchette avant le chauffage pour éviter l'explosion. Il est aussi recommandable de brosser avec de la sauce pour dorer avant la cuisson.

TINY MEAT LOAF

Approx. Cooking Time: 22 min.
Yield: about 4 servings

1 pound ground beef
1 egg
⅓ cup dry bread crumbs
⅓ cup catsup

2 tablespoons milk or water
2 envelopes (¼ oz. ea.) instant onion soup

1. Combine all ingredients. In shallow baking dish, shape beef mixture into loaf, covered with wax paper, set time for 19 to 22 minutes.
2. Drain liquid occasionally during cooking. If necessary, shield ends of loaf with aluminum foil halfway through cooking. Let stand, covered, 7 minutes before serving.

Hint: *For even quicker cooking, shape meat into ring shape 9-inch pie plate. Set time for 12½ to 14 minutes.*

Note: **For TWO servings,** *follow above procedure using ½ pound ground beef, 1 egg, ¼ cup bread crumbs, 2 tablespoons catsup and 1 envelope instant onion-soup. Shape into two loaves. Heat by TIME only 10 to 11 minutes.*

SWEDISH MEATBALLS

Approx. Cooking Time: 15 min.
Yield: 4 to 6 servings

1 pound ground beef
1 egg
½ cup dry bread crumbs
½ cup milk
2 teaspoons parsley flakes

½ teaspoon salt
⅛ teaspoon ground allspice
⅛ teaspoon pepper
1 can (10¾ oz.) condensed cream of mushroom soup

1. Combine ground beef, egg, bread crumbs, ¼ cup milk, onion, parsley, salt, allspice and pepper. Shape into 1¼-inch meat-balls (about 30) and arrange in oblong baking dish. Heat 8 to 9 minutes rearranging meatballs once; push meatballs to one side of dish.
2. Blend in soup and remaining milk; combine with meatballs. Heat, covered, 4 to 5½ minutes until heated through. Serve, if desired, over buttered noodles, sprinkled with additional parsley.

PETIT PAIN DE VIANDE

Temps Approx. de Cuisson: 22 min.
Rendement: environ 4 portions

1 livre de boeuf haché
1 oeuf
⅓ tasse de miettes de pain sec
⅓ tasse de sauce tomate

2 cuillerées à soupe de lait ou
d'eau
2 sachets (¼ once chacune)
de soupe d'oignon instantanée

1. Mélanger tous les ingrédients. Dans un plat de cuisson peu profond, modeler le mélange de boeuf en pain, couvert de papier ciré.
Régler le temps pour 19 à 22 minutes.
2. Egoutter le liquide de temps en temps pendant la cuisson. Si cela est nécessaire, couvrir les extrémités du pain avec le papier d'aluminium au milieu du temps de cuisson. Laisser reposer, couvert, 7 minutes avant de servir.

Conseil: *Pour la cuisson uniforme et rapide, modeler la viande dans une assiette à tarte de la forme d'anneau de 9 pouces. Régler le temps pour 12½ à 14 minutes.*
Note: Pour DEUX portions, *suivre le procédé ci-dessus en utilisant ½ livre de boeuf haché, 1 oeuf, ¼ tasse de miettes de pain, 2 cuillerées à soupe de sauce tomate et 1 sachet de soupe à l'oignon instantanée. Modeler en deux pains. Chauffer par TIME (temps) seulement, 10 à 11 minutes.*

BOULETTES DE VIANDE A LA SUEDOISE

Temps Approx. de Cuisson: 15 min.
Rendement: 4 à 6 portions

1 livre de boeuf haché
1 oeuf
½ tasse de miettes de pain sec
½ tasse de lait
2 cuillerées à café de tranches de
persil
¼ tasse d'oignon haché

½ cuillerée à café de sel
⅛ cuillerée à café de piment haché
⅛ cuillerée à café de poivre
1 boîte (10¾ onces) de concentré
de crème au champignon
¼ tasse dòignon haché

1. Mélanger le boeuf haché, l'oeuf, les miettes de pain, ¼ tasse de lait, l'oignon, le persil, le sel, le piment et le poivre. Modeler en boulettes de viande de 1¼ pouces (environ 30) et arranger dans un plat de cuisson oblong. Chauffer 8 à 9 minutes, en réarrangeant les boulettes de viande une fois; pousser les boulettes de viande sur un côté de l'assiette.
2. Mélanger la soupe et le lait qui reste; mêler avec les boulettes de viande. Chauffer, couvert, 4 à 5½ minutes jusqu'à ce qu'ils soient tout chauffés. Servir, si vous voulez, sur des nouilles au beurre, saupoudré de persil supplémentaire.

STUFFED GREEN PEPPERS

Approx. Cooking Time: 30 min.
Yield: 4 servings

1 pound ground beef	**3 tablespoons grated Parmesan**
⅓ cup finely chopped onion	**cheese**
4 medium green peppers (about 1 lb.)	**1 teaspoon salt**
2 cans (8 oz. ea.) tomato sauce	**⅛ teaspoon pepper**
¼ cup water	**½ cup packaged precooked rice**

1. In medium glass bowl, crumble ground beef; stir in onion. Heat 5 to 6½ minutes until beef is brown, stirring once; drain.
2. Stir in 1 can tomato sauce, water, 2 tablespoon cheese, salt and pepper. Heat, covered, 3½ to 5 minutes. Stir in rice; let stand, covered, 7 minutes.
3. Meanwhile, cut peppers in half lengthwise; remove seeds and rinse. Spoon beef-rice filling into each half; place in oblong baking dish. Top with remaining sauce and cheese. Heat, covered, 15 to 18 minutes until peppers are tender. Let stand, covered, 7 minutes before serving.

Note: **For TWO servings,** *follow above procedure; halve all ingredients. Heat ground beef 3 to 3½ minutes, tomato sauce 3 to 3½ minutes and peppers 8 to 9½ minutes.*

BEEF WITH BROCCOLI

Approx. Cooking Time: 25 min.
Yield: about 4 servings

1 pound boneless steak, cut into thin	**⅛ teaspoon ground ginger**
strips	**1 tablespoon cornstarch**
1 tablespoon oil	**½ tablespoon sherry**
3 to 4 cups broccoli flowerets	**1 tablespoon soy sauce**
1 clove garlic, finely chopped	**Toasted sesame seeds**

1. In oblong baking dish, heat oil 3 minutes.
2. Stir in beef, garlic and ginger, heat an additional 5 to 6½ minutes, stirring twice.
3. Add broccoli and heat, covered, 7½ to 9 minutes until broccoli is crisp tender, stirring once.
4. Stir in cornstarch blended with broth, sherry and soy sauce; heat 4½ to 6 minutes until sauce is thickened, stirring once. Top with sesame seeds.

POIVRONS FARCIS

Temps Approx. de Cuisson: 30 min.
Rendement: 4 portions

1 livre de boeuf haché
⅓ tasse d'oignon finement haché
4 poivrons moyens (environ 1 livre)
2 boîtes (8 onces chacune) de sauce
  tomate
¼ tasse d'eau

3 cuillerées à soupe de Parmesan
  rapé
1 cuillerée à café de sel
⅛ cuillerée à café de poivre
½ tasse de riz précuit en paquet

1. Dans un bol moyen en verre, émietter le boeuf haché; ajouter en remuant l'oignon. Chauffer 5 à 6½ minutes jusqu'à ce que le boeuf soit doré, en remuant une fois; égoutter.
2. Mélanger en remuant une boîte de sauce tomate, l'eau, 1 cuillerée à soupe de fromage, le sel et le poivre. Chauffer, couvert, 3½ à 5 minutes. Ajouter en remuant le riz; laisser reposer, couvert, 7 minutes.
3. Pendant ce temps, couper les poivrons en moitié, dans la longueur; retirer les graines et rincer. Mettre la farce de boeuf et de riz dans chaque motié; placer dans un plat de cuisson oblong. Saupoudrer de sauce et de fromage qui restent. Chauffer, couvert, 15 à 18 minutes jusqu'à ce que les pcivrons soient tendres. Laisser reposer, couvert, 7 minutes avant de servir.

Note: **Pour DEUX portions,** *suivre le procédé ci-dessus; réduire à la moitié tous les ingrédients. Chauffer le boeuf haché 3 à 3½ minutes, la sauce tomate 3 à 3½ minutes, et les poivrons 8 à 9½ minutes.*

BOEUF A BROCCOLI

Temps Approx. de Cuisson: **25 min.**
Rendement: environ 4 portions

1 livre de steak déssosé coupé en
  tranches minces
1 cuillerée à soupe d'huile
3 à 4 tasses de fleurettes de broccoli
1 gousse d'ail finement hachée
⅛ cuillerée à café de gingembre
  haché

1 cuillerée à soupe de fécule de
  maïs
½ cuillerée à soupe de sherry
1 cuillerée à soupe de sauce soja
Graines de sésames grillées

1. Dans un plat de cuisson oblong, chauffer l'huile 3 minutes.
2. Mélanger en remuant le boeuf, l'ail, et le gingembre; chauffer pendant 5 à 6½ minutes, en remuant deux fois.
3. Ajouter le broccoli et chauffer, couvert, 7½ à 9 minutes jusqu'à ce que le broccoli soit croustillant et tendre, en remuant une fois.
4. Ajouter en remuant la fécule de maïs mêlée de bouillon, le sherry et la sauce soja; chauffer 4½ à 6 minutes jusqu'à ce que la sauce soit épaisse en remuant une fois. Saupoudrer de graines de sésame.

CHINESE PORK AND GREEN VEGETABLES

Approx. Cooking Time: 20 min.
Yield: about 4 servings

**1 pound boneless pork, cut into thin
  strips**
**2 bunches green onions, cut into ¾-
  inch pieces (about ⅔ cup)**
2 tablespoons oil
2 tablespoons soy sauce

⅛ teaspoon garlic powder
**1 package (6 oz.) frozen pea pods,
  thawed**
1½ to 2 tablespoons cornstarch
1 cup beef broth

1. In oblong baking dish, heat oil 3 minutes, stir in pork, soy sauce and garlic. Heat 5 to 7 minutes, stirring occasionally.
2. Add pea pods and green onions; heat, covered, 4 minutes, stirring once. Stir in cornstarch blended with broth and heat 4 to 5½ minutes until sauce is slightly thickened, stirring occasionally. Serve, if desired, over rice.

OVEN-FRIED PORK CHOPS

Approx. Cooking Time: 17 min.
Yield: 6 servings (1 chop ea.)

6 rib pork chops, ½-inch thick
**1 package (1⅜ oz.) seasoned coating mix
  for pork**

1. Coat chops according to package directions. In paper towel lined oblong baking dish, arrange chops, ribs toward center.
2. Heat 15 to 16½ minutes turning chops over once and rotating dish once. Let stand, covered, 5 minutes before serving.

Note: **For FOUR pork chops,** *follow above procedure. Heat 11½ to 13 minutes.*
       For TWO pork chops, *heat 6½ to 8 minutes.*
       For ONE pork chop, *heat 3 to 4½ minutes.*

PORC CHINOIS ET LEGUMES FRAIS

Temps Approx. de Cuisson: 20 min.
Rendement: environ 4 portions

1 livre de porc désossé coupé en tranches minces
2 oignons verts coupés en morceaux de ¾ pouce (environ ⅔ tasse)
2 cuillerées à soupe d'huile

2 cuillerées à soupe de sauce soja
⅛ cuillerée à café de farine d'ail
1 paquet (6 onces) de gousse de pois décongelée*
1½ à 2 cuillerées à soupe de fécule de maïs
1 tasse de bouillon de boeuf

1. Dans un plat de cuisson oblong, chauffer l'huile 3 minutes, ajouter en remuant le porc, la sauce soja et l'aïl. Chauffer 5 à 7 minutes en remuant de temps en temps.
2. Ajouter la gousse de pois et les oignons verts; chauffer couvert, 4 minutes, en remuant une fois. Mélanger en remuant la fécule de maïs mêlée de bouillon et chauffer 4 à 5½ minutes jusqu'à ce que la sauce soit légèrement épaissie, en remuant de temps en temps. Servir, si vous voulez, sur du riz.

COTELETTES DE PORC FRITES AU FOUR

Temps Approx. de Cuisson: 17 min.
Rendement: 6 portions (1 côtelette chacune)

6 côtelettes de porc en morceaux de ½ pouce

1 paquet (1⅜ onces) d'assaisonnement pour porc instantané

1. Enduire les côtelettes suivant les directions du paquet. Dans un plat de cuisson oblong avec la serviette en papier à l'intérieur, arrànger les côtelettes, avec les plats de côtes vers le centre.
2. Chauffer 15 à 16½ minutes, en retournant une fois les côtelettes et tournant une fois le plat. Laisser reposer, couvert, 5 minutes avant de servir.

Note: **Pour QUATRE côtelettes de porc,** *suivre le procédé au-dessus. Chauffer 11½ à 13 minutes.*
Pour DEUX côtelettes de porc, *chauffer 6½ à 8 minutes.*
Pour UNE côtelette de porc, *chauffer 3 à 4½ minutes.*

WURST WITH KRAUT

Approx. Cooking Time: 25 min.
Yield: 6 servings

6 knockwurst sausages (about 3 oz. ea.)
6 tablespoons butter or margarine
1½ cups chopped onion (about 2 medium)
2 cups sliced apples (about 2 medium)
2 cans (16 oz. ea.) sauerkraut, drained and rinsed
½ cup beef broth
¼ teaspoon caraway seeds
¼ teaspoon pepper

1. In oblong baking dish, heat butter and onion 4½ to 5 minutes. Stir in apples and heat 4½ to 6½ minutes. Stir in sauerkraut, broth, caraway and pepper.,
2. Score knockwurst diagonally and arrange on sauerkraut mixture. Heat 12 to 13½ minutes rearranging knockwurst once. Let stand, covered, 7 minutes. Garnish, if desired, with additional apple slices and parsley.

CURRY LAMB

Power Level: HIGH
DEFROST
Approx. Cooking Time: 26 min.
Yield: about 4 servings

1 pound lamb cubes, cut into 1½-inch pieces
¾ cup finely chopped onion
¼ cup butter or margarine
3 tablespoons flour
1 cup chicken broth
⅓ cup flaked coconut
⅓ cup raisins or peanuts
3 tablespoons lemon juice
1 to 1½ tablespoons curry powder
½ teaspoon ground ginger
½ teaspoon salt

1. In 2½-quart casserole dish, heat lamb, onion and butter 7½ to 9 minutes on HIGH, stirring once. Stir in flour, then remaining ingredients. Heat, covered, 7½ minutes on HIGH.
2. Continue cooking on DEFROST an additional 8 to 10 minutes until lamb is tender, stirring twice. Serve, if desired, over rice.

WURST AVEC KRAUT

Temps Approx. de Cuisson: 25 min.
Rendement: 6 portions

6 Knockwurst saucisses (environ 3 onces chacune)
6 cuillerées à soupe de beurre ou de margarine
1½ tasses d'oignon haché (environ 2 moyens)
2 tasses de pommes hachées (environ 2 moyennes)

2 boîtes (16 onces chacune) de choucroute égouttée et rincée
½ tasse de bouillon de boeuf
¼ cuillerée à café de graines de carvi
¼ cuillerée à café de poivre

1. Dans un plat de cuisson oblong, chauffer le beurre et l'oignon 4½ à 5 minutes. Mélanger en remuant les pommes et chaufer 4½ à 6½ minutes. Ajouter, tout en remuant, le sauerkraut, le bouillon, le carvi et le poivre.
2. Rayer obliquement le knockwurst et disposer sur le mélange de sauerkraut. Chauffer 12 à 13½ minutes, en réarrangeant une fois le knockwurst. Laisser reposer, couvert, 7 minutes. Garnir, si vous voulez, avec les tranches des pommes et de persil supplémentaires.

MOUTON AU CARI

Position de Puissance: HIGH
                       DEFROST
Temps Approx. de Cuisson: **26 min**
Rendement: environ 4 portions

1 livre de mouton en cubes coupé en morceaux de 1½ pouces
¾ tasse d'oignon finement haché
¼ tasse de beurre ou de margarine
3 cuillerées à soupe de farine
1 tasse de bouillon de poulet
⅓ tasse de coco haché
⅓ tasse de raisins ou d'arachides

3 cuillerées à soupe de jus de citron
1 à 1½ cuillerées à soupe de farine de cari
½ cuillerée à café de gingembre haché
½ cuillerée à café de sel

1. Dans une casserole de 2½ pintes, chauffer le mouton, l'oignon et le beurre 7½ à 9 minutes sur HIGH, en remuant une fois. Mélanger en remuant la farine, et puis les ingrédients qui restent. Chauffer, couvert, 7½ minutes sur HIGH.
2. Continuer à cuire sur DEFROST pendant 8 à 10 minutes jusqu'à ce que le mouton soit tendre, en remuant deux fois. Servir. si vous voulez, sur du riz.

PERSIAN LAMB WITH PEACHES

Power Level: HIGH → DEFROST
              HIGH
Approx. Cooking Time: 30 min.
Yield: about 6 servings

Water
**1½ pounds boneless lamb, cut into
  1½-inch cubes***
**1 can (16 oz.) peach slices, drained
  (reserve syrup)**
**1 envelope (1 oz.) onion-mushroom
  soup mix**

1 tablespoon lemon juice
¼ teaspoon ground cinnamon
⅛ teaspoon ground cloves
¼ cup raisins
2 tablespoons cornstarch

1. Add enough water to reserve syrup to equal 1 cup. In 2-quart casserole dish,
   combine with lamb, soup mix, lemon juice, cinnamon and cloves. Heat,
   covered, 9 to 10½ minutes on HIGH
2. Continue cooking on DEFROST an additional 12½ minutes until lamb is
   tender. Stir in peaches, raisins and cornstarch blended with ¼ cup water.
3. Heat 6 to 7½ minutes on HIGH until sauce is thickened, stirring once.

*Substitution: *Use beef cubes for lamb.*

34

MOUTON PERSIAN AUX PECHES

Position de Puissance: HIGH → DEFROST
HIGH
Temps Approx. de Cuisson: 30 min.
Rendement: environ 6 portions

Eau
1½ livres de mouton désossé coupé
en cubes de 1½ pouces*
1 boîte (16 onces) de tranches de
pêche égouttées (réserver le sirop)
1 sachet (1 onces) de soupe
d'oignon et de champignon instantanée

1 cuillerée à soupe de jus de citron
¼ cuillerée à café de cannelle
⅛ cuillerée à café de clous de
girofle hachés
¼ tasse de raisins
2 cuillerées à soupe de fécule de
maïs

1. Ajouter assez d'eau pour réserver le sirop pour égaler une tasse. Dans
   une casserole de 2 pintes, mélanger avec le mouton, la soupe instantanée,
   le jus de citron, la cannelle et les clous de girofle. Chauffer, couvert, 9 à 10½
   minutes sur HIGH.
2. Continuer à cuire sur DEFROST pendant 12½ minutes supplémentaires
   jusqu'à ce que le mouton soit tendre. Ajouter en remuant, les pêches, les
   raisins et la fécule de maïs déjà mélangée à ¼ tasse d'eau.
3. Chauffer 6 à 7½ minutes sur HIGH jusqu'à ce qe la sauce soit épaissie,
   en remuant une fois.

***Substitution:** *Utiliser des cubes de boeuf pour le mouton.*

Memo

Poultry

For Whole Birds—Fresh or thawed
- Stuff bird, if desired; close cavity with string or wooden toothpicks.
- Tie wings and legs tightly to body of bird.
- Place poultry, cleaned and wiped dry, on microwave oven safe roasting rack in a shallow baking dish. If this specially designed rack is unavailable, an inverted saucer or casserole lid works well in holding the bird out of its juices.
- Brush bird with browning sauce before cooking to enhance appearance.
- Heat poultry (over 5 lb.) breast-side down during first half of cooking.
- Loosely cover baking dish with wax paper to prevent splattering.
- Drain juices as they accumulate in baking dish. If desired, reserve for making gravy.
- Cover thin points (wings and legs) with strips of aluminum foil halfway through cooking to prevent overcooking in these areas. Wooden toothpicks can be used to hold foil in place.
- Let stand, covered, 10 to 15 minutes before serving. This time allows the temperature to equalize throughout. The internal temperature will rise 5° to 10°F . . . a good time to prepare gravy or a vegetable.
- Use a cooking bag or covered casserole when cooking less tender hens. These should be surrounded by liquid (soup, broth, etc.) to help retain moisture, producing a tender, juicy bird.
- Prepare cooking bag as package directs. The enclosed twist-tie may be used to seal the cooking bag; be sure to wrap ends tightly around the closure (and do not allow the ends to stick up). Make six half-inch slits near the top to allow excess steam to escape.

Note: *A thermometer may be used after cooking time is completed to check the internal temperature of the food. A microwave oven safe thermometer may be used during cooking. Do NOT use a conventional meat thermometer in poultry while operating the microwave oven.*

Volaille

Pour la volaille entière—fraîche ou décongelée

- Farcir la volaille, si vous voulez; fermer le poulet avec l'attache ou les curedents de bois.
- Lier les ailes et les pilons fermement au corps de la volaille.
- Placer le poulet, lavé et essuyé, sur le gril en sûreté pour le four à microondes dans un plat de cuisson peu profond. Si vous n'avez pas ce gril inventé spécialement, vous pourrez utiliser une soucoupe inversée ou un couvercle de casserole pour empêcher que le poulet ne repose dans son jus.
- Brosser la volaille avec la sauce pour dorage avant la cuisson pour relever l'apparence.
- Chauffer la volaille (pesant plus de 5 livres) avec la poitrine vers le bas pendant la première moitié du temps de cuisson.
- Couvrir légèrement le plat de cuisson avec le papier ciré pour éviter l'éclaboussure.
- Egoutter le jus, car il s'accumule dans le plat de cuisson. Si vous voulez, le mettre de côté pour faire de la sauce.
- Couvrir les parties minces (les ailes et pilons) avec les bandes de papier d'aluminium au milieu de la cuisson pour éviter la surcuisson dans ces parties. Les curedents de bois peuvent être utilisés pour maintenir la feuille à sa place.
- Laisser reposer, couvert, **10 à 15** minutes après la cuisson. Ce temps permet à la température de s'égaliser à l'intérieur. La température interne montera de 5°F à 10°F . . . c'est une bonne durée pour préparer la sauce ou un légume.
- Utiliser un sac de cuisson ou une casserole couverte dans le cas de la cuisson des poules moins tendres. Celles- ci doivent être entourées de liquide (soupe, bouillon, etc) pour aider les aliments à retenir l'humidité, en produisant une volaille tendre et pleine de jus.
- Préparer le sac de cuisson suivant les directions du paquet. L'attache peut être utilisée pour envelopper le sac de cuisson; s'assurer d'emballer les extrémités fortement autour de l'ouverture (et ne pas les laisser se dresser). Faire des trous de 6½ pouces près du haut pour faire sortir la vapeur excessive.

Note: *Après que le temps de cuissoin se soit écoulé, un thermomètre peut être utilisé pour vérifier la température interne des aliments. Un thermomètre inventé pour le four à micro-ondes peut être utilisé même pendant la cuisson. Cependant NE PAS utiliser de thermomètre de viande conventionnel dans la volaille pendant l'opération du four à micro-ondes.*

BARBECUED CHICKEN

Approx. Cooking Time: 22 min.
Yield: about 4 servings

2½ to 3 pound chicken, cut into   **1 cup barbecue sauce**
  serving pieces

1. In oblong baking dish, arrange chicken, meatire portions toward edge of dish; evenly spread sauce over chicken. Heat, covered with wax paper 15 to 16½ minutes, basting chicken with sauce once.
2. Heat, uncovered, 4½ to 6 minutes until chicken is tender. Let stand, covered, 10 minutes before serving.

Note: **For TWO servings,** *follow above procedure; halve all ingredients. Heat chicken, covered with wax paper, 8 to 9½ minutes. Heat, uncovered, 2 to 3 minutes.*
      For ONE serving, *heat chicken, covered with wax paper, 5 to 6½ minutes. Heat, uncovered, 1½ to 2 minutes.*

TURKEY DIVINE

Approx. Cooking Time: 20 min.
Yield: about 4 servings

2 to 3 cups cut-up cooked turkey or   **1 can (11 oz.) condensed Cheddar**
  chicken*   **cheese soup**
2 packages (10 oz. ea.) frozen broccoli   **½ cup milk**
  spears, thawed   **¼ cup buttered bread crumbs**
Salt and pepper to taste   **½ teaspoon paprika**

1. In oblong baking dish, arrange broccoli; top with turkey. Heat, covered, 7 to 8 minutes, drain. Season with salt and pepper.
2. In small glass bowl, combine soup and milk. Heat 3 to 4 minutes, stir until smooth. Pour sauce over turkey; heat, covered, 7 to 8 minutes until heated through. Top with bread crumbs mixed with paprika; let stand, covered, 7 minutes before serving.

If desired, turkey may be thinly sliced.

POULET AU BARBECUE

Temps Approx. de Cuisson: 22 min.
Rendement: environ 4 portions

2½ à 3 livres de poulet coupés en morceaux à servir

1 tasse de sauce barbecue

1. Dans un plat de cuisson oblong, placer le poulet à rôtir avec les portions plus dodues vers le bord du plat. Etendre la soupe sur le poulet. Chauffer, couvert de papier ciré, 15 à 16½ minutes, en arrosant le poulet de sauce une fois.
2. Chauffer, sans couvrir, 4½ à 6 minutes jusqu'à ce que le poulet soit tendre. Laisser reposer, couvert, 10 minutes avant de servir.

Note: **Pour DEUX portions,** *suivre le prodédé au-dessus, réduire tous les ingrédients de moitié. Chauffer le poulet, couvert de papier ciré, 8 à 9½ minutes. Chauffer sans couvrir, 2 à 3 minutes.*
Pour UNE portion, *chauffer le poulet, couvert de papier, ciré, 5 à 6½ minutes. Chauffer, sans couvrir, 1½ à 2 minutes.*

DINDE DIVINE

Temps Approx. de Cuisson: 20 min.
Rendement: environ 4 portions

2 à 3 tasses de dinde ou de poulet cuits en tranches *
2 paquets (10 onces chacun) de brins de broccoli décongelés
Sel et Poivre suivant le goût

1 boîte (11 onces) de soupe au fromage Cheddar concentré
½ tasse de lait
¼ tasse des miettes de pain au beurre
½ cuillerée à café de paprika

1. Dans un plat de cuisson oblong, placer le broccoli; recouvrir de dinde. Chauffer, couvert, 7 à 8 minutes; égoutter. Assaisonner avec du sel et du poivre.
2. Dans un petit bol en verre, mélanger la soupe et le lait. Chauffer 3 à 4 minutes, remuer jusqu'à l'état homogène. Verser la sauce sur la dinde; chauffer, couvert, 7 à 8 minutes jusqu'à ce qu'ils soient complètement chauffés. Saupoudrer de miettes de pain mêlées de paprika; laisser reposer, couvert, 7 minutes avant de servir.

*Si vous voulez, la dinde pourrait être légèrement tranchée.

CRISPY CHICKEN

Approx. Cooking Time: 16 min.
Yield: about 4 servings

8 small chicken pieces (about 2 lb.)   **1 package (2⅜ oz.) seasoned coating mix for chicken**

1. Coat chicken according to package directions; arrange in oblong baking dish.
2. Heat, covered with wax paper, 13½ to 15½ minutes until chicken is tender. Let stand 7 minutes before serving.

Note: **Fot TWO servings (4 pieces),** *follow above procedure. halve all ingredients and heat chicken 8 to 9 minutes.*
   Fot ONE serving (2 pieces), *heat chicken 5 to 6 minutes.*

CURRY CHICKEN

Approx. Cooking Time: 22 min.
Yield: about 4 servings

2½ to 3 pounds chicken, cut into serving pieces   **½ cup raisins or peanuts**
1 can (10¾ oz.) condensed cream of chicken soup   **1 tablespoon curry powder**
1 tomato, cut into wedges (optional)   **1 tablespoon dried onion flakes**
   ⅛ teaspoon garlic powder

1. In oblong baking dish, arrange chicken. Thoroughly combine remaining ingredients and spoon over chicken. Heat, covered with wax paper, 19½ to 22½ minutes until chicken is tender, rearranging chicken once.
2. Let stand, covered, 10 minutes. Remove chicken to serving platter; stir sauce until smooth and serve over chicken.

POULET CROUSTILLANT

Temps Approx. de Cuisson: 16 min.
Rendement: environ 4 portions

8 petits morceaux de poulet (environ 2 livres)

1 paquet (2⅜ onces) d'assaisonnement instantané pour poulet

1. Enduire le poulet suivant les directions du paquet; placer dans un plat de cuisson oblong.
2. Chauffer, couvert de papier ciré, 13½ à 15½ minutes jusqu'à ce que le poulet soit tendre. Laisser reposer 7 minutes avant de servir.

Note: **Pour DEUX Portions (4 morceaux),** *suivre le procédé ci-dessus, Réduire à la moitié tous les ingrédients et chauffer le poulet 8 à 9 minutes.* **Pour UNE portion (2 morceaux),** *Chauffer le poulet 5 à 6 minutes.*

POULET AU CARI

Temps Approx. de Cuisson: 22 min.
Rendement: environ 4 portions

2½ à 3 livres de poulet coupé en morceaux à servir
1 boîte (10¾ onces) de concentré de crème au poulet
1 tomate coupée en morceaux triangulaires (option)

½ tasse de raisins ou d'arachides
1 cuillerée à soupe de farine de cari
1 cuillerée à soupe de tranches d'oignon séchés
⅛ cuillerée à café de farine d'ail

1. Dans un plat de cuisson oblong, placer le poulet. Mélanger complètement les ingrédients qui restent et verser sur le poulet avec une cuillère. Chauffer, couvert de papier ciré, 19½ à 22½ minutes, jusqu'à ce que le poulet soit tendre, en redisposant une fois le poulet.
2. Laisser reposer, couvert, 10 minutes. Mettre le poulet sur un plat de service; remuer la sauce jusqu'à ce qu'elle soit tendre et servir sur le poulet.

BASIC BREAD STUFFING

Power Level: HIGH
              DEFROST
Approx. Cooking Time: 15 min.
Yield: 6 to 8 servings (about 4 cups)

8 cups fresh bread cubes
1½ cups thinly sliced celery
1 cup chopped onion
½ cup butter or margarine
2 eggs
¼ cup water (optional)

3 tablespoons parsley flakes
1 to 1½ teaspoons poultry
seasoning
1 teaspoon salt
½ teaspoon pepper

1. In 2-quart casserole dish, heat celery, onion and butter 9 to 10½ minutes on HIGH until celery and onion are tender, stirring twice. Add remaining ingredients; combine thoroughly.*
2. Heat, covered, 3 to 4½ minutes on DEFROST until heated through.

This makes enough to stuff 2 (2½ to 3 lb.) birds.

APPLE SAUSAGE STUFFING

Power Level: HIGH
              DEFROST
Approx. Cooking Time: 19 min.
Yield: about 8 servings (about 6 cups)

½ pound bulk pork sausage
1 cup thinly sliced celery
½ cup finely chopped onion
5 cups fresh bread cubes
3 cups chopped apple (3 medium)

2 eggs, beaten
1 to 1½ teaspoons salt
¼ to ½ teaspoon poultry
seasoning

1. In oblong baking dish, crumble sausage stir in celery and onion. Heat 6½ to 8½ minutes on HIGH until sausage is browned, stirring twice; drain.
2. Add remaining ingredients; combine thoroughly.* Heat, covered, 4½ to 6 minutes on HIGH.
3. Continue cooking on DEFROST an additional 4 to 4½ minutes until heated through.

This makes enough to stuff a 7 to 9 pound bird.

FARCE AU PAIN DE BASE

Position de Puissance: HIGH
                         DEFROST
Temps Approx. de Cuisson: 15 min.
Rendement: 6 à 8 portions (environ 4 tasses)

8 tasses de cubes de pain frais
1½ tasses de céleri finement haché
1 tasse d'oignon haché
½ tasse de beurre ou de margarine
2 oeufs
¼ tasse d'eau

3 cuillerées à soupe de tranches de
   persil
1 à 1½ cuillerée a café
   d'assaisonement pour poulet
1 cuillerée à café de sel
½ cuillerée à café de poivre

1. Dans une casserole de 2 pintes, chauffer le céleri, l'oignon et le beurre,
   9 à 10½ minutes sur HIGH jusqu'à ce que le céleri et l'oignon soient tendres,
   en remuant deux fois. Ajouter les ingrédients qui restent; mélanger complètement.*
2. Chauffer, couvert, 3 à 4½ minutes sur DEFROST jusqu'à ce qu'ils soient
   complément chauffés.

Ceci donnera assez de farce pour remplir 2 (2½ à 3 livres) volailles.

FARCE A LA SAUCISSE ET AUX POMMES

Position de Puissance: HIGH
                         DEFROST
Temps Approx. de Cuisson: 19 min.
Rendement: environ 8 portions (environ 6 tasses)

½ livre de saucisse de porc entière
1 tasse de céleri haché
½ tasse d'oignon finement haché
5 tasses de cubes de pain frais
3 tasse de pomme finement haché (3 moyennes)

2 oeufs battus
1 a 1½ cuillérees à café de sel
¼ a ½ cuillerée à café
   d'assaisonnement pour poulet

1. Dans un plat de cuisson oblong, émietter la saucisse; ajouter en remuant
   le céreri et l'oignon. Chauffer 6½ à 8½ minmutes sur HIGH jusqu'à ce que la
   saucisse soit dorée, en remuant deux fois; égoutter.
2. Ajouter les ingrédients qui restent; mélanger complètement.* Chauffer, couvert,
   4½ à 6 minutes sur HIGH.
3. Continuer à cuire sur DEFROST pendant 4 à 4½ minutes supplémentaires
   jusqu'à ce qu'ils soient complément chauffés.

Ceci donnera assez de farce pour remplir une volaille de 7 à 9 livres.

Memo

Fish and Seafood

TROUT ALMANDINE

Approx. Cooking Time: 16 min.
Yield: 2 to 4 servings

½ cup slivered almonds　　　　　　**Salt and pepper to taste**
⅓ cup butter or margarine　　　　　**Lemon juice**
2 whole trout, cleaned (about 12 oz. ea.)

1. In 2-cup glass measure, heat butter and almonds 4½ to 6 minutes until almonds are ligtly browned, stirring twice.
2. In oblong baking dish, arrange fish; season inside of fish with salt, pepper and lemon juice. Pour butter and almonds inside and over fish. Heat, covered with wax paper, 9 to 10½ minutes until fish is tender. Let stand, covered, 7 minutes before serving.

POACHED FISH

Approx. Cooking Time: 9 min.
Yield: about 3 servings

1¼ pound fish fillets　　　　　　　**Salt and pepper to taste**
½ cup dry white wine　　　　　　　**Butter or margarine**
2 tablespoons onion, finely chopped

1. Lightly butter a shallow baking dish and place fillets in dish. Sprinkle with salt, pepper and onions. Pour white wine over fish.
2. Cover tightly with plastic wrap and heat for 6 to 9 minutes until fish flakes. Baste with white wine and onions several times during cooking.

Variation: *Substitute clam juice or tomato juice in place of white wine.*

Poissons et Fruits de mer

TRUITE AIMANDINE

Temps Approx. de Cuisson: 16 min.
Rendement: 2 à 4 portions

½ tasse d'amandes écrasées
⅓ tasse de beurre ou de margarine
2 truites entières lavées (environ 12
  onces chacune)

Sel et poivre suivant le goût
Jus de citron

1. Dans une tasse à mesurer de 2 tasses, chauffer le beurre et les amandes
   4½ à 6 minutes jusqu'à ce que les amandes soient légèrement dorées, en
   remuant deux fois.
2. Dans un plat du cuisson oblong, arranger le poisson; assaisonner l'intérieur de
   poisson avec le sel, le poivre et le jus de citron. Verser le beurre et les
   amandes dans l'intérieur et sur le haut de poisson. Chauffer, couvert de papier
   ciré, 9 à 10½ minutes jusqu'à ce que le poisson soit tendre. Laisser reposer,
   couvert, 7 minutes avant de servir.

POISSON POCHE

Temps Approx. de Cuisson: 9 min.
Rendement: environ 3 portions

1¼ livre de filets de poisson
½ tasse de vin blanc sec *
2 cuillerées à soupe d'oignon finement
  haché

Sel et poivre suivant le goût
Beurre ou margarine

1. Beurrer légèrement un plat de cuisson peu profond et placer les filets dans ce
   plat. Saupoudrer de sel, de poivre et d'oignons. Verser le vin blanc sur le
   poisson.
2. Couvrir fermement avec l'emballage plastique et chauffer pendant 6 á 9
   minutes jusqu'à ce que le poisson se sépare. Arroser avec le vin blanc et
   les oignons plusieurs fois pendant la cuisson.

*Variante: *Remplacer le vin blanc par du jus de praires ou de tomate.*

Memo

Casseroles

COUNTRY HAM CASSEROLE

Approx. Cooking Time: 19 min.
Yield: about 4 servings

1 package (8 oz.) noodles, cooked
2 cups cut-up cooked ham (about ½ lb.)
1½ cups shredded Swiss cheese (about 6 oz.)
1 can (10¾ oz.) condensed cream of celery soup

1 can (8 oz.) green peas, drained
¾ cup milk
½ teaspoon dry mustard powder (optional)
French fried onion pieces or corn chips

1. In 3-quart casserole dish, combine noodles, ham, 1¼ cups cheese, soup, peas, milk and mustard. Heat, covered, 7 to 8 minutes stirring once.
2. Top with remaining cheese and onion pieces, set time 10 to 11 minutes.
3. Let stand, covered, 7 minutes before serving.

*Variation: *Use cup cut-up cooked asparagus for peas.*

Casseroles

Temps Approx. de Cuisson: 19 min.
Rendement: environ 4 portions

1 paquet (8 onces) de nouiiles cuites
2 tasses de jambon cuit en
morceaux (environ ½ livre)
1½ tasses de fromage suisse coupé
en tranches (environ 6 onces)
1 boîte (10¾ onces) de concentré de
crème au céleri

1 boîte (8 onces) de pois vert
égoutté*
¾ tasse de lait
½ cuillerée à café de poudre de
moutarde sèche
Morceaux d'oignon francais frits ou
corn chips broyés

1. Dans une casserole de 3 pintes, mélanger les nouilles, le jambon, 1¼ tasses de fromage, la soupe, les pois, le lait et la moutarde. Chauffer, couvert, 7 à 8 minutes, en remuant une fois.
2. Saupoudrer de reste de fromage et de morceaux d'oignon. Régler le temps 10 à 11 minutes.
3. Laisser reposer, couvert, 7 minutes avant de servir.

*Variante: *Utiliser des asperges cuites en morceaux à la place des pois.*

Memo

Eggs and Cheeses

SPECIAL HINTS FOR PREPARING HARD COOKED EGGS

Cooking eggs in their shell is a microwave oven NO. Because you are unable to pierce the shell or the egg membrane, there is no place for the steam to escape. The result would be a messy egg, bursting inside the oven.

HOWEVER, if the hard cooked egg will be sliced or chopped, you can do this in the microwave oven. In greased small glass bowl, break egg; with toothpick, pierce egg yolk twice and egg white several times. Heat, covered. Let stand to cool before slicing, chopping, etc.

NUMBER OF EGGS	COOK TIME (in min.)
1	1 to 1½
2	2 to 2½
4	3½ to 4

Pierce egg yolk and egg white before cooking

Percer les oeufs jaunes et les blancs avant de cuire.

MACARONI AND CHEESE

Approx. Cooking Time: 13 min.
Yield: about 4 servings

1 package (8 oz.) elbow macaroni, cooked and drained
¾ pound pasteurized process cheese spread, cut into cubes
¾ to 1 cup milk
½ to ¾ teaspoon salt

¼ teaspoon onion powder
⅛ teaspoon dry mustard powder (optional)
¼ teaspoon pepper

Buttered bread crumbs

1. In 3-quart casserole dish, combine macaroni, cheese, milk, salt, onion, mustard and pepper. Heat, covered, 9 to 10 minutes, stirring twice.
2. Top with bread crumbs and heat, uncovered, 3 minutes.

Variations: *Use ½ cup tomato sauce for ¼ cup milk and ⅛ teaspoon oregano for dry mustard.*

Oeufs et Fromages

CONSEILS SPECIAUX POUR LA PRÉPARATION DES OEUFS A LA COQUE

Votre four à micro-ondes n'est pas utilisable pour la cuisson des oeufs dans leur coquille. Puisque vous êtes incapable de percer la coquille ou la membrane des oeufs, il y a aucune place par laquelle la vapeur peut sortir. Le résultat pourrait être un oeuf malpropre ou l'éclatement des oeufs dans le four. Cependant, si l'oeuf cuit dur sera tranché ou coupé, vous pourrez le préparer dans votre four à micro-ondes. Dans un petit bol en verre graissé, casser l'oeuf, et avec les curedents, percer le jaune d'oeuf deux fois et le blanc d'oeuf plusieurs fois. Chauffer, couvert. Laisser reposer frais avant de trancher ou de couper, etc.

NOMBRE D'OEUFS	TEMPS DE CUISSON (en min.)
1	1 à 1½
2	2 à 2½
4	3½ à 4

MACARONI ET FROMAGE

Temps Approx. de Cuisson: 13 min.
Rendement: environ 4 portions

1 paquet (8 onces) de elbow macaroni cuit et égoutté
¾ livre de fromage pasteurisé, coupé en cubes
¾ à 1 tasse de lait
½ à ¾ cuillerée à café de sel
¼ cuillerée à café de poudre d'oignon
⅛ cuillerée à café de poudre de moutarde sèche (option)
¼ cuillerée à café de poivre
Miettes de pain beurrées

1. Dans une casserole de 3 pintes, mélanger le macaroni, le fromage, le lait, le sel, l'oignon, la moutarde et le poivre. Chauffer, couvert, 9 à 10 minutes; en remuant deux fois.
2. Saupoudrer de miettes de pain et chauffer, sans couvrir, 3 minutes.

Variantes: *Utiliser ½ tasse de sauce au tomate pour remplacer ¼ tasse de lait et ⅛ cuillerée à café d'orégano pour remplacer la moutarde sèche.*

SHRIMP FONDUE

Approx. Cooking Time: 8 min.
Yield: about 4 servings

**1 can (10¾ oz.) condensed cream of
  shrimp soup
1 cup shredded Swiss cheese
¼ cup white wine**

**½ teaspoon Worcestershire sauce
French bread, cut into 1-inch cubes
  or bread sticks**

1. In 1-quart casserole dish*, combine soup, cheese, wine and Worcestershire.
2. Heat 7 to 8 minutes until cheese is melted, stirring every 2 minutes. Served hot with French bread.

*If desired, a microwave oven safe pottery or ceramic fondue dish can be used.

FONDUE AUX CREVETTES

Temps Approx. de Cuisson: 8 min.
Rendement: environ 4 portions

1 boîte (10¾ onces) de concentré de crème aux crevettes
1 tasse de fromage suisse coupé en tranches
¼ tasse de vin blanc

½ cuillerée à café de sauce Worcestershire
Pain français coupé en cubes de 1 pouce ou batonnets de pain

1. Dans une casserole de 1 pinte*, mélanger la soupe, le beurre, le vin et la sauce Worcestershire.
2. Chauffer 7 à 8 minutes jusqu'à ce que le fromage soit fondu, en remuant toutes les deux minutes. Servir chaud avec du pain français.

Si vous voulez, une poterie ou un plat à fondue en céramique qui sont sûrs pour le four à micro-ondes, peuvent être utilisés.

Memo

Sauces and Toppings

HOMEMADE GRAVY

Approx. Cooking Time: 7 min.
Yield: about 1 cup

1 to 2 tablespoons butter or margarine
2 tablespoons flour
Salt and pepper to taste

Few Drops browning sauce
  (optional)
1 cup roast drippings *

1. In small glass bowl, heat butter 1 minute until melted; stir in flour, salt, pepper and browning sauce.
2. Gradually add drippings, stirring until smooth: heat 3½ to 5 minutes until gravy in thickened, stirring twice.

   If necessary, add broth, milk or water to roast drippings to equal cup. If using milk, heat for 3 to 4 minutes.

BASIC WHITE SAUCE

Approx. Cooking Time: 7 min.
Yield: about 1 cup

2 tablespoond butter or margarine
2 tablespoons flour

½ teaspoon salt (optional)
1 cup milk

1. In small glass bowl, heat butter ½ to ¾ minute until melted; stir in flour and salt.
2. Gradually add milk, stirring until smooth. Heat 5 to 6 minutes until sauce is thickened, stirring occasionally.

Variations:
For CHEESE Sauce, *Stir in ½ to ¾ cup shredded cheese. Heat 1 minute, if necessary, to completely melt cheese.*
For CURRY Sauce, *stir in 1 to 2 teaspoons curry powder.*
For HORSERADISH Sauce, *add 1 tablespoon prepared horseradish.*
For MUSTARD Sauce, *add 2 tablespoons prepared mustard and dash Worcestershire sauce.*

Sauces et Chapelures

SAUCE-MAISON AU JUS DE VIANDE PREPAREE

Temps Approx. de Cuisson: 7 min.
Rendement: environ 1 tasse

**1 à 2 cuillerées à soupe de beurre
  ou de margarine
2 cuillerées à soupe de farine
Sel et poivre suivant le goût**

**Quelques gouttes de sauce pour
  dorage (option)
1 tasse de jus pour rôtissage** ∗

1. Dans un petit bol en verre, chauffer le beurre 1 minute jusqu'à ce qu'il soit
   fondu, mélanger en remuant la farine, le sel, le poivre et la sauce pour dorage.
2. Auouter doucement le jus pour rôtissage, en remuant jusqu'à l'état uniforme.
   Chauffer 3½ à 5 minutes jusqu'à ce que la sauce ait épaissie, en remuant
   deux fois.

*Si cela est nécessaire, ajouter le bouillon, le lait ou l'eau au jus pour rôtissage
pour égaler une tasse. Si vous utilisez du lait, cuire pendant 3 à 4 minutes.*

SAUCE BECHAMEL

Temps Approx. de Cuisson: 7 min.
Rendement: environ 1 tasse

**2 cuillerées à soupe de beurre ou de
  margarine
2 cuillerées à soupe de farine**

**½ cuillerée à café de sel (option)
1 tasse de lait**

1. Dans un petit bol en verre, chauffer le beurre ½ à ¾ minute jusqu'à ce
   qu'il soit fondu; ajouter, en remuant, la farine et le sel.
2. Ajouter doucement le lait, en remuant jusqu'à l'état uniforme. Chauffer 5 à 6
   minutes jusqu'à ce que la sauce ait épaissie, en remuant de temps en temps.

Variantes:
Pour la sauce au FROMAGE: *mélanger en remuant ½ à ¾ tasse de fromage
coupé en tranches. Chauffer 1 minute si cela est nécessaire pour fondre le
fromage complètement.*
Pour la sauce au CARI: *mélanger en remuant 1 à 2 cuillerées à café de poudre
de cari.*
POUR la sauce au RAIFORT: *ajouter 1 cuillerée à soupe de raifort préparé.*
Pour la sauce à la MOUTARDE: *ajouter 2 cuillerées à soupe de moutarde
préparée et pincée de sauce Worcestershire.*

CREAMY SALAD DRESSING

Approx. Cooking Time: 5 min.
Yield: about 1 cup

½ **cup water**
⅓ **cup vinegar**
¼ **to** ⅓ **cup sugar**
1 egg

1 tablespoon flour
1 teaspoon salt
½ **teaspoon dry mustard**
1 tablespoon butter or margarine

1. In medium glass bowl, with wire whip or rotary beater, thoroughly combine water, vinegar, sugar, egg, flour, salt and mustard. Heat 4 to 5 minutes until mixture is thickened, stirring twice; stir in butter.
2. Use in place of mayonnaise when making coleslaw or potato salad.

CARAMEL SAUCE

Approx. Cooking Time: 6 min.
Yield: 1¼ cups

¼ **teaspoon ground cinnamon**
1 package (14 oz.) caramels

2 tablespoons rum (optional)
1 tablespoon water

1. In small bowl, combine all ingredients.
2. Heat 4½ to 6 minutes, stirring twice until smooth.

ORANGE GLAZE

Approx. Cooking Time: 1 min.
Yield: about 1 cup

½ **cup honey**

⅔ **cup orange marmalade**

1. Combine ingredients in a small glass bowl and heat, uncovered, ½ to 1 minutes until glaze is hot.
2. Use as a glaze on ham or poultry.

VINAIGRETTE A LA CREME

Temps Approx. de Cuisson: 5 min.
Rendement: environ 1 tasse

½ **tasse d'eau**
⅓ **tasse de vinaigre**
¼ à ⅓ **tasse de sucre**
1 **oeuf**
1 **cuillerée à soupe de farine**

1 **cuillerée à café de sel**
½ **cuillerée à café de moutarde**
  sèche
1 **cuillerée à soupe de beurre ou**
  de margarine

1. Dans un bol moyen en verre, avec l'aile de fil métallique ou le brasseur rotatif, mélanger l'eau, le vinaigre, le sucre, l'oeuf, la farine et la moutarde. Chauffer 4 à 5 minutes jusqu'à ce que le mélange ait épaissi, en remuant deux fois; ajouter en remuant le beurre.
2. Utilisez ceci à la place de la mayonnaise lorsque vous faites une salade au choux marin ou une salade aux pommes de terre.

SAUCE AU CARAMEL

Temps Approx. de Cuisson: 6 min.
Rendement: 1¼ tasses

¼ **cuillerée à café de cannelle**
  hachée
1 **paquet (14 onces) de caramels**

2 **cuillerée à soupe de rhum (option)**
1 **cuillerée à soupe d'eau**

1. Dans un petit bol en verre, mélanger tous les ingrédients.
2. Chauffer 4½ à 6 minutes en remuant deux fois jusqu'à ce que la sauce soit lisse.

DORURE AU JUS D'ORANGE

Temps Approx. de Cuisson: 1 min.
Rendement: environ 1 tasse

½ **tasse de miel**

⅔ **tasse de marmelade au citron**

1. Mélanger les ingrédients dans un petit bol en verre et chauffer, sans couvrir, pendant ½ à 1 minute jusqu'à ce que la dorure soit chaude.
2. Utiliser ceci sur le jambon ou la volaille.

BARBECUE SAUCE

Power Level: HIGH
                       DEFROST
Approx. Cooking Time: 15 min.
Yield: about 2 cups

1 cup chili sauce
¾ cup water
¼ cup lemon juice
1 envelope (1⅜ oz.) onion soup mix

½ cup brown sugar
1 teaspoon dry mustard
⅛ teaspoon galic powder

1. In medium glass bowl, combine all ingredients; heat 7½ minutes on HIGH, stirring once.
2. Continue cooking on DEFROST an additional 6½ to 8 minutes until sauce is slightly thickened, stirring twice. Use as a basting sauce on chicken, ribs, hamburgers, etc.

CUSTARD SAUCE

Power Level: HIGH
                       DEFROST
Approx. Cooking Time: 8 min.
Yield: about 2 cups

1½ cups milk
3 tablespoons sugar
2 tablespoons flour

2 egg yolks
1 teaspoon vanilla extract

1. In medium glass bowl, combine milk, sugar and flour; heat 6 to 6½ minutes on HIGH until sauce is slightly thickened, stirring twice. With wire whip, quickly stir in egg yolks.
2. Heat 1 to 1½ minutes on DEFROST until sauce it thickened, stirring twice; stir in vanilla. Chill slightly before serving.

SAUCE BARBECUE

Position de Puissance: HIGH→DEFROST
Temps Approx. de Cuisson: 15 min.
Rendement: environ 2 tasses

1 tasses de sauce chili
¾ tasse d'eau
¼ tasse de jus de citron
1 sachet (1⅜ onces) de soupe
d'oignon instantanée

½ tasse de cassonade
1 cuillerée à café de moutarde
sèche
⅛ cuillerée à café de poudre d'ail

1. Dans un bol moyen en verre, mélanger tous les ingrédients; chauffer 7½ minutes sur HIGH, en remuant une fois.
2. Continuer à cuire sur DEFROST pendant 6½ à 8 minutes supplémentaires jusqu'à ce que la sauce ait légèrement épaissi, en remuant deux fois. Utiliser ceci comme une sauce à arroser sur le poulet, les plats de côtes, les hamburgers, etc.

SAUCE A LA CREME

Position de Puissance: HIGH
                         DEFROST
Temps Approx. de Cuisson: 8 min.
Rendement: environ 2 tasses

1½ tasses de lait
3 cuillerées à soupe de sucre
2 cuillerées à soupe de farine

2 blancs d'oeufs
1 cuillerée à café d'extrait
de vanille

1. Dans un bol moyen en verre, mélanger le lait, le sucre et la farine; chauffer 6 à 6½ minutes sur HIGH jusqu'à ce que la sauce ait légèrement épaissie, en remuant deux fois. Avec une aile de fil métallique mélanger rapidement les jaunes d'oeufs en remuant.
2. Chauffer 1 à 1½ minutes sur DEFROST jusqu'à ce que la sauce ait épaissie en remuant deux fois; mélanger la vanille en remuant. Réfrigérer légèrement avant de servir.

Memo

Soups and Stews

CREAMY CORN CHOWDER

Approx. Cooking Time: 16 min.
Yield: about 4 servings

1 teaspoon dried chives or dried onion
   flakes
3 tablespoons butter or margarine
¼ cup finely chopped celery or green
   pepper

3 tablespoons flour
1 teaspoon salt
⅛ teaspoon pepper
2 cups milk
1 can (17 oz.) cream-style corn

1. In 2-quart casserole dish, heat butter and celery 2 to 3 minutes. Stir in flour, chives, salt and pepper; gradually add milk stirring until smooth. Heat 5½ to 7½ minutes until soup is slightly thickened, stirring twice.
2. Add corn and heat 4 to 5 minutes until heated through, stirring twice. Let stand, covered, 3 minutes before serving.

BEER STEW

Power Level: HIGH
                DEFROST
Approx. Cooking Time: 34 min.
Yield: about 6 servings

1½ pounds beef, cut into 1-inch pieces
1 cup beef broth
½ cup beer
1 tablespoon brown sugar
1½ teaspoons salt
½ teaspoon pepper
½ teaspoon caraway seeds

1 cup sliced onions (about 3 small)
1 package (10 oz.) frozen green
   peas
3 tablespoons flour
¼ cup water
1 regular size (10″ × 16″) cooking
   bag

1. Place cooking bag in 2-quart casserole dish. Combine beef, broth, beer, sugar, salt, pepper and caraway in bag, turning bag several times to mix. Pull bag up around beef and close (3-in. from top) with twist tie, wrapping ends around closure; make six half-inch slits in top of bag. Heat 7½ to 10½ minutes on HIGH.
2. Continue cooking on DEFROST an additional 8 to 10 minutes. Add onions and peas; reclose. Heat an additional 12½ minutes on DEFROST until beef and vegetables are tender. Carefully open bag and turn down sides.
3. Stir in flour blended with water* and heat 1 minutes on DEFROST until slightly thickened.

*If desired, add ½ teaspoon browning sauce.

70

Soupes et Ragoûts

BOUILLABAISSE AU MAIS ET A LA CREME

Temps Approx. de Cuisson: 16 min.
Rendement: environ 4 portions

**1 cuillerée à café de ciboules séchées
ou de tranches d'oignon sechées
3 cuillerées à soupe de beurre ou de
margarine
¼ tasse de céleri finement haché ou
de poivron**

**3 cuillerées à soupe de farine
1 cuillerée à café de sel
⅛ cuillerée à café de poivre
2 tasses de lait
1 boîtes (17 onces) de maïs à la
crème**

1. Dans une casserole de 2 pintes, chauffer le beurre et le céleri 2 à 3 minutes.
   Mélanger en remuant la farine, les ciboules, le sel et le poivron; ajouter
   lentement le lait en remuant jusqu'à l'état uniforme. Chauffer 5½ à 7½
   minutes jusqu'à ce que la soupe soit légèrement épaissie, en remuant deux
   fois.
2. Ajouter le maïs et chauffer 4 à 5 minutes jusqu'à ce qu'ils soient chauffés, en
   remuant deux fois. Laisser reposer, couvert, 3 minutes avant de servir.

RAGOUT A LA BIERE

Position de Puissance: HIGH
                         DEFROST
Temps Approx. de Cuisson: 34 min.
Rendement: environ 6 portions

**1½ livres de boeuf coupé en
morceaux de 1 pouce
1 tasse de bouillon de boeuf
½ tasse de bière
1 cuillerée à soupe de cassonade
1½ cuillerée à café de sel
½ cuillerée à café de poivre
½ cuillerée à café de graines de carvi**

**1 tasse d'oignons hachés (environ
3 petits)
1 paquet (10 onces) de pois verts
congelés
3 cuillerées à soupe de farine
¼ tasse d'eau
1 sac de cuisson du volume
régulier (10″ × 16″)**

1. Placer le sac de cuisson dans une casserole de 2 pintes. Mélanger le boeuf,
   le bouillon, la bière, le sucre, le poivre et le carvi dans le sac, en tournant le
   sac plusieurs fois pour mêler. Serrer le sac autour de boeuf et fermer (3
   pouces du haut) avec une attache, en emballant les extrémités autour de la
   fermeture; faire des fentes de 6½ pouces dans le haut du sac. Chauffer 7½
   à 10½ minutes sur HIGH.
2. Continuer à cuire sur DEFROST pendant 8 à 10 minutes. Ajouter les oignons
   et les pois; refermer. Chauffer pendant 12½ minutes supplémentaires sur
   DEFROST jusqu'à ce que le boeuf et les légumes soient tendres. Ouvrir
   attentivement le sac et tourner le haut vers le bas.
3. Ajouter, en remuant, la farine mêlée d'eau , et chauffer 1 minute sur
   DEFROST jusqu'à ce que le mélange ait légèrement épaissi.

Si vous voulez, ajouter ½ cuillerée à café de sauce pour rissolage.

Memo

Pastas, Grains and Cereals

PREPARING PASTA

- Cover and heat hot water to a boil.
- Add pasta and 1 teaspoon salt (½ tablespoon oil optional).
- Heat, uncovered, stirring twice.
- Test pasta for desired doneness before adding more cooking time.
- Slightly undercook pasta that will be heated again in casseroles.
- Stir and let stand, covered, 3 minutes.
- Drain and rinse before serving.

ITEM	CONTAINER	AMT. of HOT WATER	WATER BOILING TIME (in min.)	PASTA COOK TIME (in min.)
Egg Noodles medium width (8 oz.)	3-qt. casserole dish	1½ quart	10 to 12	7½ to 9
Elbow Macaroni (8 oz.)	3-qt. casserole dish	1½ quart	10 to 12	10 to 12
Lasagne Noodles (8 oz.)	oblong baking dish*	1½ quart	10 to 12	19½ to 22½
Spaghetti (8 oz.-broken)	3-qt. casserole dish	2 quarts	12 to 13	10 to 12
Specialty Noodles bows, shells etc. (8 oz.)	3-qt. casserole dish	1½ quart	10 to 12	15½ to 16½

*Heat water for lasagne in 2-qt. glass bowl. Pour over noodles in oblong baking dish.

Pâtes, Grains et Céréals

PREPARATION DE PATE
- Couvrir et chauffer l'eau chaude jusqu'à ébullition.
- Ajouter la pâte et 1 cuillerée à café de sel (option: ½ cuillerée à soupe d'huile).
- Chauffer, sans couvrir, en remuant deux fois.
- Vérifier la pâte si elle est en état voulu avant d'augmenter le temps de cuisson.
- Ne pas assez cuire la pâte qui sera chauffée encore dans les casseroles.
- Remuer et laisser reposer, couvert, 3 minutes.
- Egoutter et rincer avant de servir.

ARTICLE	RECIPIENT	QUANTITE DE L'EAU CHAUDE	TEMPS DE L'EBULLITION D'EAU (en min.)	TEMPS DE CUISSON DE LA PATE (en min.)
Nouille aux oeufs moyens (8 onces)	casserole de 3 pintes	1½ pintes	10 à 12	7½ à 9
Elbow Macaroni (8 onces)	casserole de 3 pintes	1½ pintes	10 à 12	10 à 12
Nouille à lasagne (8 onces)	plat de cuisson oblong*	1½ pintes	10 à 12	19½ à 22½
Spaghetti (8 onces, battu)	casserole de 3 pintes	2 pintes	12 à 13	10 à 12
Nouilles spéciales bows, coquilles, etc (8 onces)	casserole de 3 pintes	1½ pintes	10 à 12	15½ à 16½

Chauffer l'eau pour lasagne dans un bol en verre de 2 pintes. Verser les nouilles dans un plat de cuisson oblong.

PREPARING RICE AND OTHER GRAINS

•Cover and heat hot water to a boil.
•Add grain, salt and butter (amounts of salt and butter as package directs)
•Heat, covered.
•Let stand, covered, before serving.

Notes: **For instant (no cook) products,** *using package directions, bring hot water to a boil. Stir in product; let stand, covered.*

RICE COOKING CHART

ITEM	CONTAINER	AMT OF HOT WATER	RICE	ADDING	COOK TIME (in min)
Long Grain Rice	2 qt.	2 cups	1 cup	1 tsp. Salt	11-12
Short Grain Rice	2 qt.	2 cups	1 cup	1 tsp. Salt	11-12
Wild and White Rice Casserole Mix	2 qt.	2 cups	6 oz. pkg.	1 tsp. Salt	15
Quick Cooking Rice	1 qt.	1 cup	1 cup	1 tsp. Salt	3-4 Standing 5
Brown Rice	2 qt. Covered Glass Bowl	1 cup	1 cup	1 tsp Salt	25
Cereal Barley	2 qt. Covered Glass Bowl	4 cups	1 cup	1 tsp.	25

PRÉPARATION DU RIZ ET D'AUTRES GRAINS

- Couvrir et chauffer l'eau chaude jusqu'à ébullition.
- Ajouter le grain, le sel et le beurre (les quantités de sel et de beurre: suivant les directions du paquet)
- Chauffer, couverts.
- Laisser reposer, couvert, avant de servir.

Note: **Pour les produits instantanés (non cuits),** *en se référant aux directions du paquet, faire bouillir l'eau chaude. Mélanger en remuant le produit; laisser reposer, couvert.*

TABLEAUX DE LA CUISSON DU RIZ

ARTICLE	RECIPIENT	QUANTITE L'EAU CHAUDE	RIZ	ADDITION	TEMPS DE CUISSON (en min.)
Riz au grain long	2 pintes	2 tasses	1 tasse	1 cuillerée à café de sel	11 à 12
Riz au grain court	2 pintes	2 tasses	1 tasse	1 cuillerée à café de sel	11 à 12
Riz grossier et blanc pour casserole instantané	2 pintes	2 tasses	paquet de 6 onces	1 cuillerée à café de sel	15
Riz rapide	1 pinte	1 tasse	1 tasse	1 cuillerée à café de sel	3 à 4 Repos 5
Riz brun	Bol en verre de 2 pintes couvert	1 tasse	1 tasse	1 cuillerée à café de sel	25
Céréale orge	Bol en verre de 2 pintes couvert	4 tasses	1 tasse	1 cuillerée à café de sel	25

PARMESAN NOODLES

Approx. Cooking Time: 25 min.
Yield: about 4 side-dish servings

1 package (8 oz.) medium egg noodles
1 cup grated Parmesan cheese
½ cup butter or margarine, cut into
** quarters**

½ cup whipping or heavy cream
Pepper to taste

1. Cook noodles, according to chart.
2. While noodles are standing, in glass serving bowl, heat cheese, butter and cream 3½ to 4½ minutes until butter is melted, stirring twice.
3. Stir in drained noodles; toss well. Season with pepper.

SPANISH RICE

Power Level: HIGH
              DEFROST
Approx. Cooking Time: 26 min.
Yield: about 6 servings

½ cup chopped onion
¼ cup finely chopped green pepper
2 tablespoons butter or margarine
Water
1 can (16 oz.) stewed tomatoes, chopped
** and drained (reserve liquid)**

1 cup long grain rice
1½ teaspoons salt
⅛ teaspoon pepper

1. In 2-quart casserole dish, heat onion, green pepper and butter 3½ to 5½ minutes on HIGH, stirring once.
2. Add enough water to reserved liquid to equal 2 cups. Add to dish with tomatoes, rice, salt and pepper. Heat, covered, 6 to 7½ minutes on HIGH
3. Continue cooking on DEFROST an additional 12 to 13½ minutes until rice is tender, stirring once. Let stand, covered, 5 minutes before serving.

NOUILLES AU PARMESAN

Temps Approx. de Cuisson: 25 min.
Rendement: environ 4 portions de hors d'oeuvre

1 paquet (8 onces) de nouilles aux oeufs moyens
1 tasse de fromage Parmesan râpé
½ tasse de beurre ou de margarine, coupés en quartiers

½ tasse de crème épaisse ou battue
Poivre suivant le goût

1. Cuire les nouilles suivant le tableau.
2. Pendant le repos des nouilles, dans un bol en verre de service, chauffer le fromage, le beurre et la crème, 3½ à 4½ minutes jusqu'à ce que le beurre soit fondu, en remuant deux fois.
3. Mélanger en remuant les nouilles égouttées; bien mélanger. Assaisonner de poivre

RIX ESPAGNOL

Position de Puissance: HIGH
                         DEFROST
Temps Approx. de Cuisson: 26 min.
Rendement: environ 6 portions

½ tasse d'oignon haché
¼ tasse de poivron finement haché
2 cuillerées à soupe de beurre ou de margarine
Eau

1 boîte (16 onces) de tomates à l'étuvée, hachées et egouttées (réserver le liquide)
1 tasse de riz au grain long
1½ cuillerées à café de sel
⅛ cuillerée à café de poivre

1. Dans une casserole de 2 pintes, chauffer l'oignon, le poivron et le beurre 3½ à 5½ minutes sur HIGH, en remuant une fois.
2. Ajouter assez d'eau au reste de liquide pour égaler 2 tasses. Ajouter au plat avec les tomates, le riz, le sel et le poivre; chauffer, couvert, 6 à 7½ minutes sur HIGH
3. Continuer à cuire, sur DEFROST pendant 12 à 13½ minutes supplémentaires jusqu'à ce que le riz soit tendre, en remuant une fois. Laisser reposer, couvert, 5 minutes avant de servir.

PREPARING HOT CEREALS

- •Combine cereal, hot water* and salt (optional) in bowl individual dish.
- •Heat, stirring once.
- •Let stand; stir before serving.
- •Top as desired, with sugar, spices, etc.

For Cream of Wheat, heat water to a boil, then add cereal.

CEREAL	CONTAINER	AMT. of HOT WATER	AMT. of CEREAL	CEREAL COOK TIME (in min.)	STANDING TIME (in min.)
Cream of Wheat*					
1 serving	2-cup glass bowl	1¼ cups	2½ table-spoons	1½	2
2 servings	1-qt. glass bowl	2 cups	⅓ cup	2	2
4 servings	2-qt. glass bowl	3¾ cups	⅔ cup	3	3
Farina					
1 serving	individual serving dish	⅔ cup	2 table-spoons	2 to 3	2
2 servings	2 individual serving dishes	1⅓ cups	¼ cups	5 to 5½	2
4 servings	1-qt. glass bowl	2⅔ cups	½ cup	6½ to 8	3
Oatmeal (Quick)					
1 serving	individual serving dish	¾ cup	⅓ cup	1½ to 2	2
2 servings	2 individual serving dishes	1½ cups	⅔ cup	3 to 3½	2
4 servings	1-qt. glass bowl	3 cups	1⅓ cups	5 to 6	3
Wheat-Bran Cereal					
1 serving	individual serving dish	¾ cup	¼ cup	4½	2
2 servings	2 individual serving dishes	1½ cups	½ cup	7½ to 9	2
4 servings	2-qt. glass bowl	3 cups	1 cup	10½ to 12	3

PREPARATION DE CEREALES CHAUDES

- Mélanger les céréales, ou l'eau chaude et le sel (option) dans un bol ou dans un plat individuel.
- Chauffer en remuant une fois.
- Laisser reposer; remuer avant de servir.
- Recouvrir suivant le goût, avec le sucre, des épices, etc.
- Pour la Crème de blé, chauffer l'eau jusqu'à ébullition, et puis ajouter la céréale.

CEREALE	RECIPIENT	QUANTITE DE L'EAU CHAUDE	QUANTITE DE CEREALE	TEMPS de CUISSON de CEREALE (en min.)	TEMPS DE REPOS (en min.)
Crème de blé					
1 portion	bol en verre de 2 tasses	1¼ tasses	2½ cuillerées à soupe	1½	2
2 portions	bol en verre d' 1 pinte	2 tasses	⅓ tasse	2	2
4 portions	bol en verre de 2 pintes	3¾ tasses	⅔ tasse	3	3
Farine					
1 portion	plat de service individuel	⅔ tasse	2 cuillerées à soupe	2 à 3	2
2 portions	plats de service individuels	1⅓ tasses	¼ tasse	5 à 5½	2
4 portions	bol en verre d' 1 pinte	2⅔ tasses	½ tasse	6½ à 8	3
Porridge (rapide)					
1 portion	plat de service individuel	¾ tasse	⅓ tasse	1½ à 2	2
2 portions	2 plats de service individuels	1½ tasses	⅔ tasse	3 à 3½	2
4 portions	bol en verre d' 1 pinte	3 tasses	1⅓ tasses	5 à 6	3
Farine grossière de blé Céréale					
1 portion	plat de service individuel	¾ tasse	¼ tasse	4½	2
2 portions	2 plats de service individuels	1½ tasses	½ tasse	7½ à 9	2
4 portions	bol en verre de 2 pintes	3 tasses	1 tasse	10½ à 12	3

Memo

Vegetables and Other Side Meals

SPECIAL HINTS FOR PREPARING FRESH AND FROZEN VEGETABLES

For FRESH Vegetables

- Weights given for fresh vegetables are purchase weights, before peeling, trimming etc.
- Pierce skins of vegetables to be heated whole and unpeeled (i.e. eggplant, potatoes, squash). This allows steam to escape and prevents vegetables from popping or bursting. Arrange vegetables on paper towel lined glass oven tray.
- Add only 2 to 3 tablespoons water per pound. Often, rinsing vegetables before cooking is sufficient. Salt just before serving.
- Heat, covered, in casserole dish; stirring once. Heat corn on the cob in oblong baking dish; rearrange once during cooking.
- Let stand, covered, as specified in the chart or recipe.

For FROZEN Vegetables

- Prepare frozen vegetables (10 oz.) in original Package. Pierce top of package and set on glass saucer. If vegetables are frozen in pouches, pierce top of pouch also. If packages are foil-wrapped; remove foil.
- Place desired amount of frozen vegetables (packed in poly-bags) in covered casserole dish. Do not add water or salt. Stir once during cooking.
- Heat vegetables marked with an asterisk (*) in covered casserole dish; stir once during cooking. This insures even cooking without overcooking some portions. Arrange corn on the cob in oblong baking dish; rearrange once during cooking.

VEGETABLE	AMT.	COOK TIME (in min.)	STANDING TIME (in min.)
ARTICHOKES			
Fresh, about 6 to 8 oz. ea.	1	9 to 11	7
(3-in. diameter)	2	12½ to 15	7
Frozen, hearts	1 package (9 oz.)	7½ to 9	5
ASPARAGUS			
Fresh, cut into 1½-in. pieces	1 pound plus ¼ cup water	7½ to 9½	5
Frozen, spears	1 package (10 oz.)	8 to 10½	5
BEANS, Green or Wax			
Fresh, cut into 1½-in. pieces	1 pounds plus ¼ cup water	9½ to 12	5
Frozen*	1 package (9 oz.)	9 to 12	5
BEETS			
Fresh, sliced	1½ to 2 pounds plus ¼ cup water	15½ to 18	7
BROCCOLI			
Fresh, cut into spears	1 pound plus ¼ cup water	9 to 11	5
Frozen, chopped or spears	1 package (10 oz.)	9½ to 12	5

Légumes et autres Hors-d'Oeuvre

CONSEILS SPECIAUX POUR LA PRÉPARATION DES LEGUMES FRAIS ET CONGELES

Pour les légumes FRAIS

- Les poids donnés pour les légumes frais sont les poids d'achat, avant d'éplucher ou de garnir.
- Percer la peau des légumes que vous voulez chauffer entièrement et ne pas éplucher (par example: l'aubergine, les pommes de terre, la courge). Ceci permet à la vapeur de s'échapper et empêche les légumes d'être trop chauffés ou écrasés. Arranger les légumes sur une plaque en verre du four dans laquelle est placée la serviette en papier.
- Ajouter seulement 2 à 3 cuillerées à soupe d'eau par livre. Le plus souvent, il suffit de rincer les légumes avant de cuire.
- Chauffer, couvert, dans une casserole; en remuant une fois. Chauffer les épis de maïs dans un plat de cuisson oblong; redisposer une fois pendant la cuisson.
- Laisser reposer, couvert, comme spécifié dans le tableau ou la recette.

Pour les légumes CONGELES

- Préparer les légumes congelés (10 onces) dans leur paquet d'origine. Percer le haut du paquet et mettre sur une soucoupe en verre. Si les légumes sont congelés dans les sachets, percer le haut des sachets aussi. Et si le paquet est emballé dans le papier d'aluminium, enlever le papier.
- Placer la quantité voulue de légumes congelés (empaquetés dans les poly-sacs) dans une casserole couverte. Ne pas ajouter d'eau ou de sel. Remuer une fois pendant la cuisson.
- Chauffer les légumes marqués d'une astérisque dans une casserole couverte; remuer une fois pendant la cuisson. Ceci assure la cuisson uniforme sans trop cuire quelques portions. Arranger les épis de maïs dans un plat de cuisson oblong; redisposer une fois pendant la cuisson.

LEGUME	QUANTITE	TEMPS DE CUISSON (en min.)	TEMPS DE REPOS (en min.)
ARTICHAUTS			
Frais, environ 6 à 8 onces	1	9 à 11	7
chacun (3 pouces diamètre)	2	12½ à 15	7
Congelés, les coeurs	1 paquet (9 onces)	7½ à 9	5
ASPERGES			
Frais, coupées en morceaux de 1½ pouces	1 livre plus ¼ tasse d'eau	7½ à 9½	5
Congelées, brins	1 paquet (10 onces)	8 à 10½	5
HARICOTS VERTS OU PETITES FEVES			
Frais, coupées en morceaux de 1½ pouces	1 livre plus ¼ tasse d'eau	9½ à 12	5
Congelées	1 paquet (9 onces)	9 à 12	5
BETTRAVES			
Fraîches, coupées en tranches	1½ à 2 livres plus ¼ tasse d'eau	15½ à 18	7
BROCCOLIS			
Frais, coupés en brins	1 livre plus ¼ tasse d'eau	9 à 11	5
Congelés, coupés en brins	1 paquet (10 onces)	9½ à 12	5

VEGETABLE	AMT.	COOK TIME (in min.)	STANDING TIME (in min.)
BRUSSEL SPROUTS			
Fresh	1 tub (10 oz.) plus 2 tbsp. water	8 to 10½	7
	1 pound plus ¼ cup water	12 to 15	7
Frozen*	1 package (10 oz.)	11 to 13½	7
CABBAGE, Fresh			
Chopped or Shredded	4 cups (about 1 lb.) plus ¼ cup water	9½ to 12	7
Wedges	4 (about 1 lb.) plus ¼ cup water	9 to 11	7
CARROTS, sliced ½-in thick			
Fresh	1 pound plus ¼ cup water	10½ to 12½	7
Frozen	1 package (10 oz.)	8 to 10½	5
CAULIFLOWER			
Fresh, cut into flowerets	1 pound plus ¼ cup water	9½ to 12	7
whole	1 to 1¼ lb. plus ¼ cup water	17 to 19½	7
Frozen, flowerets	1 package (10 oz.)	8 to 10½	5
CORN, Whole Kernel			
Frozen*	1 package (10 oz.)	6 to 8	5
CORN, On the cob			
Fresh (remove husk and silk)	1 ear — plus 2 to 4	3 to 4½	5
	2 ears ⎯ tablespoons	4½ to 6	5
	4 ears — water	12½ to 15	5
	6 ears —	19½ to 21½	7
Frozen (rinse off any frost)*	1 ear	5 to 6½	5
	2 ears	7½ to 9	5
	4 ears	14 to 16½	7
	6 ears	21 to 23	7
EGGPLANT, Fresh			
Cubed	1 pound plus ¼ cup water	10½ to 12½	5
Whole (pierce skin)	1 to 1¼ pounds	6½ to 9	5
LIMA BEANS			
Frozen*	1 package (10 oz.)	8 to 10½	5
OKRA, Frozen			
Sliced	1 package (10 oz.)	7½ to 9½	5
Whole	1 package (10 oz.)	8 to 10½	5
ONIONS			
Fresh, (small, whole)	8 to 10 plus ¼ cup water (about 1 lb.)	9½ to 12	5

LEGUME	QUANTITE	TEMPS DE CUISSON (en min.)	TEMPS DE REPOS (en min.)
CHOUX DE BRUXELLES Frais	1 tube (10 onces) plus 2 cuillerées à soupe d'eau	8 à 10½	7
	1 livre plus ¼ tasse d'eau	12 à 15	7
Congelés*	1 paquet (10 onces)	11 à 13½	7
CHOUX, frais coupés ou hachés	4 tasses (environ 1 livre) plus ¼ tasse d'eau	9½ à 12	7
Morceaux	4 (environ 1 livre) plus ¼ tasse d'eau	9 à 11	7
CAROTTES, en tranches de ½ pouces Fraîches	1 livre plus ¼ tasse d'eau	10½ à 12½	7
Congelées	1 paquet (10 onces)	8 à 10½	5
CHOUX-FLEUR Frais, coupé en fleurettes	1 livre plus ¼ tasse d'eau	9½ à 12	7
Entières	1 à 1¼ livres plus ¼ tasse d'eau	17 à 19½	7
Congelés, fleurettes	1 ququet (10 onces)	8 à 10½	5
MAIS, Graine entière, Congelé*	1 paquet (10 onces)	6 à 8	5
EPIS DE MAIS Frais (enlever les panaches et les enveloppes d'épi)	1 épi — plus 2 à 4	3 à 4½	5
	2 épis — cuillerées	4½ à 6	5
	4 épis — à soupe	12½ à 15	7
	6 épis — d'eau	19½ à 21½	7
Congelés* (rincer tout le givre)	1 épi	5 à 6½	5
	2 épis	7½ à 9	5
	4 épis	14 à 16½	7
	6 épis	21 à 23	7
AUBERGINE, Fraîche En cubes	1 livre plus ¼ tasse d'eau	10½ à 12½	5
Entière (percer la peau)	1 à 1¼ livres	6½ à 9	5
HARICOTS DE LIMA Congelés*	1 paquet (10 onces)	8 à 10½	5
OKRA, Congelé Tranché	1 paquet (10 onces)	7½ à 9½	5
Entier	1 paquet (10 onces)	8 à 10½	5
OIGNONS Frais (petits, entiers)	8 à 10 plus ¼ tasse d'eau (environ 1 livre)	9½ à 12	5

VEGETABLE	AMT.	COOK TIME (in min.)	STANDING TIME (in min.)
PEAS, GREEN			
Fresh	1½ pounds plus ¼ cup water	7½ to 9½	5
Frozen*	1 package (10 oz.)	8 to 10½	5
PEAS, Snow (Peapods)			
Frozen*	1 package (6 oz.)	6½ to 8	5
PEAS and CARROTS			
Frozen*	1 package (10 oz.)	8 to 10½	5
PEAS, Black-eyed			
Frozen*	1 package (10 oz.) plus 1½ cups water	30 to 33	7
SPINACH			
Fresh, leaf	1 pound plus ¼ cup water	8 to 10½	5
Frozen, leaf of chopped*	1 package (10 oz.)	9½ to 12	5
SQUASH (Summer), sliced ½-in. thick			
Fresh	1 pound plus ¼ cup water	9½ to 12	5
Frozen	1 package (10 oz.)	7½ to 9½	5
SQUASH (Winter)			
Fresh, whole	1 (1 lb.)	9 to 11	7
(pierce skin)	2 (¾ lb. ea.)	11 to 13½	7
Frozen, whipped	1 package (12 oz.)	9 to 12	5
SUCCOTASH			
Frozen*	1 package (10 oz.)	8 to 10½	5
VEGETABLES, mixed			
Frozen*	1 package (10 oz.)	9½ to 12	5
ZUCCHINI, sliced ½-in. thick			
Fresh	1 pound plus ¼ cup water	9½ to 12	5
Frozen	1 package (10 oz.)	7½ to 9½	5

HOW TO COOK CANNED VEGETABLES

CANNED VEGETABLES MICROWAVING GUIDE

VEGETABLE	AMT.	COOK TIME (in min.)		INTERNAL TEMPS. (when using Temp. Cook)
		UNDRAINED	DRAINED	UNDRAINED
VEGETABLES	8 oz.	2½ to 3	2 to 2½	150 to 160°F
ALL KINDS	15 oz.	3½ to 5	3 to 3½	150 to 160°F
	17 oz.	5 to 6	3½ to 4	150 to 160°F

LEGUME	QUANTITE	TEMPS DE CUISSON (en min.)	TEMPS DE REPOS (en min.)
POIS, VERTS			
Frais	1½ livres plus ¼ tasse d'eau	7½ à 9½	5
Congelés*	1 paquet (10 onces)	8 à 10½	5
POIS, Coco (gousses de pois)			
Congelés*	1 paquet (6 onces)	6½ à 8	5
POIS et CARROTES			
Congelés*	1 paquet (10 onces)	8 à 10½	5
PANAIS			
Congelés*	1 paquet (10 onces) plus 1½ tasses d'eau	30 à 33	7
EPINARD			
Frais, les feuilles	1 livre plus ¼ tasse d'eau	8 à 10½	5
Congelé, les feuilles hachées*	1 paquet (10 onces)	9½ à 12	5
COURGE (Eté), en tranches de ½ pouce			
Fraîche	1 livre plus ¼ tasse d'eau	9½ à 12	5
Congelée	1 paquet (10 onces)	7½ à 9½	5
COURGE (Hiver)			
Fraîche, entière (percer la peau)	1 (1 livre)	9 à 11	7
	2 (¾ livre chaucune)	11 à 13½	7
Congelée, battue	1 paquet (12 onces)	9 à 12	5
PUREE DE MAIS et DE FEVES			
Congelée*	1 paquet (10 onces)	8 à 10½	5
LEGUMES, mélangés			
Congelés*	1 paquet (10 onces)	9½ à 12	5
ZUCCHINI, en tranches de ½ pouce			
Frais	1 livre plus ½ tasse d'eau	9½ à 12	5
Congelé	1 paquet (10 onces)	7½ à 9½	5

COMMENT CUIRE LES LEGUMES EN BOITE

GUIDE POUR LA CUISSON DES LEGUMES EN BOITE PAR MICRO-ONDES

LEGUME	QUANTITE	TEMPS DE CUISSON (en min.)		TEMP. INTERNE (si l'on utilise Temp. Cook) non égoutté
		non égoutté	égoutté	
LEGUMES	8 onces	2½ à 3	2à 2½	150° à 160°F
TOUTES LES SORTES	15 onces	3½ à 5	3 à 3½	150° à 160°F
	17 onces	5 à 6	3½ à 4	150° à 160°F

HOW TO BLANCH FRESH VEGETABLES

A special sale at the market on your favorite green vegetable? Use your micro-wave oven to blanch vegetables for freezing, preserving that garden-fresh flavor to enjoy at a later time. This method is also ideal when freezing vegetables from your garden. You can blanch small quantities when the vegetables are at their peak . . . not when there are enough to make it worth your while. Follow the guidelines and cooking time below. You will be surprised how easy it is.

- Prepare vegetables wash and slice or chop as directed.
- Measure amount to be blanched, into medium, casserole.
- Add water if directed; cover and heat for time indicated in chart, until vegetables are an even bright color through.
- Stir once.
- Plunge vegetables immediately into ice water.
- Pat dry with paper towel to absorb excess moisture.
- Package in freezer container or poly bags.
- Label, date and freeze immediately.

BLANCHING FRESH VEGETABLES GUIDE

VEGETABLE	AMT.	WATER	COOK TIME (in min.)
ASPARAGUS Cut, 2 inch pieces	1 lb.	¼ cup	3 to 4½
BEANS, GREEN Cut, 2 inch pieces	1 lb.	¼ cup	7½ to 9
BROCCOLI Cut, sepears	1 to 1¼ lb.	¼ cup	6 to 7½
CARROTS Sliced	1 lb.	¼ cup	6 to 7½
CAULIFLOWER Cut, flowerets	1½ to 1¾ lb.	¼ cup	4½ to 6
SPINACH, leaves	1 to 1¾ lb.	—	3 to 4½
ZUCCHINI Cut, ½ inch pieces	1 lb.	¼ cup	4½ to 6

COMMENT BLANCHIR LES LEGUMES FRAIS

Une vente spéciale au marché des légumes verts que vous aimez en particulier?
Utiliser votre four à micro-ondes pour blanchir les légumes; c'est une façon de
congeler et de préserver la saveur de la fraîcheur du jardin pour jouir après. Cette
façon est aussi idéale pour réfrigérer les légumes de votre jardin. Vous pouvez
blanchir les petites quantités lorsque les légumes sont à maturité; non pas
lorsqu'il y a assez de légumes pour faire valoir votre peine. Suivez les instructions
et les temps de cuisson, la page suivante. Vous vous étonnerez en sachant
comme c'est facile.

- Préparer les légumes, laver et trancher ou couper suivant les directions.
- Mesurer la quantité à blanchir dans une casserole moyenne.
- Ajouter l'eau suivant les directions; couvrir et chauffer pendant le temps indiqué
  dans le tableau, jusqu'à ce que les légumes soient complètement d'une
  couleur vive et uniforme.
- Remuer une fois.
- Plonger les légumes immédiatement dans l'eau glacée.
- Sécher avec la serviette en papier pour absorber l'excédent d'humidité.
- Emballer dans un récipient de réfrigérateur ou des sacs en plastique.
- Etiqueter, dater et réfrigérer immédiatement.

GUIDE POUR LA BLANCHISSAGE DES LEGUMES FRAIS

LEGUME	QUANTITE	EAU	TEMPS DE CUISSON (en min.)
ASPERGES Coupée en morceaux de 2 pouces	1 livre	¼ tasse	3 à 4½
FEVES, VERTES Coupée en morceaux de 2 pouces	1 livre	¼ tasse	7½ à 9
BROCCOLI morceaux, brins	1 à 1¼ livres	¼ tasse	6 à 7½
CAROTTES Tranchées	1 livre	¼ tasse	6 à 7½
CHOU-FLEUR morceaux, fleurettes	1½ à 1¾ livres	¼ tasse	4½ à 6
EPINARD, feuilles	1 à 1¾ livres	—	3 à 4½
ZUCCHINI Coupé en morceaux de ½ pouce	1 livre	¼ tasse	4½ à 6

PREPARING BAKED POTATOES

- Select potatoes of equal size, if possible.*
- Rinse potatoes; pat dry.
- Prick skins several times with fork to allow steam to escape and prevent bursting.
- Arrange in circular pattern on paper towel lined glass oven tray, equal distance apart.
- Heat according to chart.
- Let stand, covered, 5 to 7½ minutes before serving.

Note: *Potatoes can be wrapped in aluminum foil after cooking.*

POTATOES	AMT.	COOKING TIME* (in min.)
Medium Baking	1	6½ to 8
Potatoes	2	9 to 11
(about 6 oz. ea.)	4	12½ to 15
	6	18 to 20

Cook time will vary slightly with larger or smaller potatoes.

PREPARING DRIED BEANS AND PEAS

- Bring beans and hot water to boil.
- Then, Heat for time indicated in chart, until tender.

KIND of DRIED VEGETABLES	CONTAINER	AMT. of HOT WATER	COOK TIME (in min.)
Black-eyed peas (1 lb.)	large casserole dish	2½ quarts	16 to 18
Kidney beans, Lima beans (small) (1 lb.)	large casserole dish	2 quarts	13 to 15
Northern beans (1 lb.)	large casserole dish	2 quarts	13 to 17
Lima beans (large) (1 lb.)	large casserole dish	2½ quarts	16 to 18
Spit peas. (1 lb.)	large casserole dish	1½ quarts	13 to 15
Lentils (1 lb.)	large casserole dish	1½ to 2 quarts	13 to 17

PREPARATION DES POMMES DE TERRE AU FOUR

- Choisir les pommes de terre de la même grosseur, si cela est possible.*
- Rincer des pommes de terre; sécher.
- Piquer la peau avec une fourchette plusieurs fois pour permettre à la vapeur de sortir et empêcher l'écrasement.
- Arranger en une forme circulaire sur une plaque en verre du four dans laquelle est placée la serviette en papier, à la même distance les unes des autres.
- Chauffer suivant le tableau.
- Laisser reposer, couvert, 5 à 7½ minutes avant de servir.

Note: *Les pommes de terre peuvent être emballées dans un papier d'aluminium après la cuisson.*

POMMES DE TERRE	QUANTITE	TEMPS DE CUISSON (en min.)
Pommes de terre moyennes (6 onces chacune)	1	6½ à 8
	2	9 à 11
	4	12½ à 15
	6	18 à 20

Le temps de cuisson variera selon la grosseur des pommes de terre plus ou moins grandes ou petites.

PREPARATION DES HARICOTS SECS ET DES POIS

- Faire bouillir les haricots secs et l'eau chaude, sur HIGH.
- Et alors, chauffer pendant le temps indiqué dans le tableau, jusqu'à ce qu'ils soient tendres.

SORTE DE LEGUMES SECHES	RECIPIENT	QUANTITE DE L'EAU CHAUDE	TEMPS DE CUISSON (en min.)
Panais (1 livre)	grande casserole	2½ pintes	16 à 18
Fèves, Haricots de Lima (petits) (1 livre)	grande casserole	2 pintes	13 à 15
Haricots du nord (1 livre)	grande casserole	2 pintes	13 à 17
Haricots de Lima (grands) (1 livre)	grande	2½ pintes	16 à 18
Pois fendus (1 livre)	grande casserole	1½ pintes	13 à 15
Lentilles (1 livre)	grande casserole	1½ à 2 pintes	13 à 17

CORN RELISH

Approx. Cooking Time: 10 min.
Yield: about 6 servings

Water
2 cans (12 oz. ea.) whole kernel corn,
  drained reserve liquid
½ cup chopped celery
½ cup diced green pepper

¼ cup finely chopped onion
2 to 3 tablespoons sugar
1 tablespoon cornstarch
⅓ cup cider vinegar
2 tablespoons diced pimento

1. In 4-cup glass measure, add engough water to reserve liquid to equal 4¼ cups. Add celery, green pepper, onion and sugar, heat 4½ to 6 minutes.
2. Stir in cornstarch blended with vinegar and heat 3½ to 4½ minutes until mixture is slightly thickened, stirring occasionally.
   Add corn and pimento; chill before serving.

GREEN BEANS ALMANDINE

Approx. Cooking Time: 21 min.
Yield: about 4 servings

¼ cup slivered almonds
3 tablespoons butter of margarine
1¼ to 1½ pounds fresh green beans,
  cut into 1½-inch pieces

¼ cup water
½ teaspoon salt
Dash ground nutmeg (optional)

1. In glass measure, heat almonds and butter 4½ to 6 minutes until almonds are lightly browned; reserve.
2. In 2-quart casserole dish, combine beans and water; heat, covered, 12½ to 15 minutes until beans are tender stirring once.
3. Add remaining ingredients, almonds and butter; let stand, covered, 4½ minutes before serving.

ZUCCHINI PARMESAN

Approx. Cooking Time: 13 min.
Yield: about 4 servings

4 medium zucchini, sliced into 1-inch
  pieces (about 1½ lb.)
¼ cup grated Parmesan cheese

1 can (8 oz.) tomato sauce
½ cup shredded Mozzarella cheese

1. In 8-inch round baking dish, combine zucchini, parmesan cheese and tomato sauce; heat, covered, 12 to 13 minutes until zucchini is tender, stirring once.
2. Sprinkle with mozzarella cheese and let stand, covered, 7 minutes before serving.

PETITS HORS D'OEUVRE AU MAIS

Temps Approx. de Cuisson: 10 min.
Rendement: environ 6 portions

Eau
2 boîtes (12 onces chacune) de
  graines de maïs entières égouttées
  (réserver le liquide)
½ tasse de céleri haché
½ tasse de poivron coupé en cubes

¼ tasse d'oignon finement haché
2 à 3 cuillerées à soupe de sel
1 cuillerée à soupe de fécule de
  maïs
⅓ tasse de vinaigre au cidre
2 cuillerées à soupe de piment
  coupé en cubes
¼ tasse d'oignon finement haché

1. Dans un bol en verre de 4 tasses, ajouter assez d'eau au reste du liquide pour égaler 4¼ tasses. Ajouter le céleri, le poivron, l'oignon et le sucre, chauffer 4½ à 6 minutes.
2. Ajouter en remuant la fécule de maïs mêlée de vinaigre et chauffer 3½ à 4½ minutes jusqu'à ce que le mélange soit légèrement épaissi, en remuant de temps en temps. Ajouter le maïs et le piment; réfrigérer avant de servir.

AIMANDINE AUX HARICOTS VERTS

Temps Approx. de Cuisson: 21 min.
Rendement: environ 4 portions

¼ tasse d'amandes hachées
3 cuillerées à soupe de beurre ou de
  margarine
1¼ à 1½ livres d'haricots verts
  frais, coupés en morceaux
  de 1½ pouces

¼ tasse d'eau
½ cuillerée à café de sel
Pincée de noix muscade haché

1. Dans une tasse à mesurer, chauffer les amandes et le beurre 4½ à 6 minutes jusqu'à ce que les amandes soient légèrement dorées; mettre de côté.
2. Dans une casserole de 2 pintes, mélanger les haricots et l'eau; chauffer, couvert, 12½ à 15 minutes jusqu'à ce que les haricots soient tendres, en remuant une fois.
3. Ajouter le reste des ingrédients, les amandes et le beurre; laisser reposer, couvert, 4½ minutes avant de servir.

ZUCCHINI AU FROMAGE PARMESAN

Temps Approx. de Cuisson: 13 min.
Rendement: environ 4 portions

4 zucchinis moyens, tranchés en
  morceaux de 1 pouce (environ 1½
  livres)
¼ tasse de fromage Parmesan rapé

1 boîte (8 onces) de sauce au
  tomate
½ tasse de fromage Mozzarella
  coupé en tranches

1. Dans un plat de cuisson rond de 8 pouces, mélanger le zucchini, le fromage Parseman et la sauce au tomate; chauffer, couvert, 12 à 13 minutes jusqu'à ce que le zucchini soit tendre; en remuant une fois.
2. Saupoudrer de fromage Mozzarella et laisser reposer, couvert, 7 minutes avant de servir.

Memo

Sandwiches

BARBECUED BEEF SANDWICHES

Approx. Cooking Time: 4 min.
Yield: 4 servings

½ to ¾ **pound sliced cooked roast
beef**
8 slices rye bread or 4 hamburger rolls

¼ to ½ **cup barbecue or chili
sauce**

1. Arrange ½ beef on 4 slices bread; spread generously with barbecue sauce.
   Top with remaining beef, then bread.
2. Wrap each sandwich in paper napkin; arrange on glass oven tray. Heat 3 to 4
   minutes until heated through.

Note: **For TWO sandwiches,** *follow above procedure. Halve all ingredients; heat
1½ to 2 minutes.*
For ONE sandwich, *heat 1 to 1¼ minutes.*

RYE DOGS

Approx. Cooking Time: 9 min.
Yield: 2 servings

1 can (8 oz.) pork and beans
**1 tablespoon sweet pickle relish or
catsup**
4 frankfurters
2 slices rye bread

Mustard
**2 slices bacon, crisp cooked and
crumbled**
¼ cup shredded Cheedar cheese

1. In small glass bowl, heat beans and relish, covered, 2 to 3 minutes until
   heated through, stirring, once.
2. Along one side of each frankfurter, make deep slits every ¾-inch. On paper
   towel lined paper plate, arrange franks cut-side out. Heat 3½ to 4 minutes
   until heated through and curled.
   Spread mustard on bread; place on serving plate.
3. Arrange two franks on each bread to form ring. Fill ring with beans; top with
   bacon and cheese. Heat 1½ to 1¾ minutes until cheese begins to melt.

Variation: *Arrange cooked frankfurter on toasted English muffin half; fill center
with heated sauerkraut and top with poppy seeds.*

Sandwiches

SANDWICH DE BOEUF BARBECUE

Temps Approx. de Cuisson: 4 min.
Rendement: 4 portions

**½ à ¾ livre de roti de bôeuf cuit
coupé en tranches**
**8 tranches de pain de seigle ou 4
petits pains durs pour hamburger**

**¼ à ½ tasse de sauce barbecue
ou de sauce au piment**

1. Placer ½ boeuf sur 4 tranches de pain; couvrir généreusement de sauce
   barbecue. Recouvrir de reste du boeuf, et puis de pain.
2. Envelopper chaque sandwich dans la serviette en papier; disposer sur l'assiette
   en verre du four. Chauffer 3 à 4 minutes jusqu'à ce qu'ils soient parfaitement
   chauffés.

Note: **Pour DEUX sandwiches,** *suivre le prodédé ci-dessus. Réduire tous les*
ingrédients de moitié; chauffer 1½ à 2 minutes.
Pour UN sandwich, *chauffer 1 à 1¼ minutes.*

PETIT PAIN DE SEIGLE A LA SAUCISSE

Temps Approx. de Cuisson: 9 min.
Rendement: 2 portions

1 boîte (8 onces) de porc et de haricots
**1 cuillerée à soupe d'assaisonnement
au pickle doux ou de sauce au tomate**
4 saucisses de Francfort
2 tranches de pain de seigle

Moutarde
**2 tranches de bacon, cuit croustil-
lant et friable**
**¼ tasses de fromage Cheddar
en tranches**

1. Dans un petit bol en verre, chauffer les haricots et l'assaisonnement, couvert,
   2 à 3 minutes jusqu'à ce qu'ils soient chauffés, en remuant une fois.
2. Le long de chaque saucisse de Francfort, faire des fentes profondes de ¾
   pouces chacune. Sur une assiette en papier dans laquelle est placée une
   serviette en papier, arranger les saucisses de Francfort avec le bord coupé
   vers l'extérieur. Chauffer 3½ à 4 minutes jusqu'à ce qu'elles soient parfaitement chauffées et frites. Recouvrir le haut du pain de moutarde; placer sur
   les assiettes de service.
3. Disposer deux saucisses de Francfort sur chaque pain pour former le cercle.
   Remplir le cercle d'haricots; garnir de bacon et de fromage. Chauffer 1½ à
   1¾ minutes jusqu'à ce que le fromage commence à fondre.

Variante: *Placer la saucisse de Franofort sur un demi-muffin anglais grillé;*
remplir le centre de choucroute chauffée et saupoudrer de graines
de pavot.

Memo

Breads, Muffins and Coffee Cakes

SPECIAL HINTS FOR BAKING QUICK BREADS, MUFFINS AND COFFEE CAKES

Follow the steps below to guarantee your baked goods will be the best ever!
- Prepare batter according to package or recipe directions.
- Use glass baking dish, Cake Bowl* or cup-cake paper lined container as indicated in charts or recipes.
- Grease bottom of baking dish when coffee cake will be served from dish.
- Grease and line bottom of baking dishes with wax paper if inverting to remove from dish. DO NOT GREASE AND FLOUR DISHES.
- Grease Cake Bowl.*
- Use cupcake paper-lined custard cups or Cupcaker* when cooking muffins.
- Check quick breads and coffee cakes half-way through cooking. If some areas are cooking faster than others, turn dish ½ turn; continue cooking.
- Test for doneness with a toothpick inserted near the center—it should come out clean.
- Let stand on flat surface, covered, 10 to 15 minutes to finish baking.
- Turn out of dish and carefully peel off wax paper to cool slightly or cool in dish 5 minutes.
- Store, covered, until ready to serve.

Special microwave oven accessories.

PREPARING BREAD MIXES

ITEM	CONTAINER	COOK TIME (in min.)	STANDING TIME, COVERED (in min.)
Coffee cake (14 oz.)	8-in. round dish	9½ to 11½	10
Fruit Variety (16 to 19 oz.)	8-in. round dish	11½ to 13½	10
Cornbread (12 oz.)	8-in. round dish	7½ to 9½	10
Gingerbread	8-in. round or square dish or Microwave Cake Bowl* (6 cup)	7½ to 9½	5
Quick Bread (14½ to 17 oz.)	glass loaf dish, bottom lined with wax paper	10½ to 12½	15

Pains, Muffins et Gâteaux au café

CONSEILS SPECIAUX POUR LA CUISSON DES PAINS RAPIDES, DES MUFFINS ET DES GATEAUX AU CAFE

Suivre les étapes ci-dessous pour s'assurer que vos articles de cuisson obtiendront de meilleurs résultats.
- Préparer la pâte suivant les directions du paquet ou des recettes.
- Utiliser les plats de cuisson en verre, Bol à gâteau* ou les récipients dans lesquels sont placés les papiers pour moule à gâteau comme indiqué dans les tableaux ou les recettes.
- Graisser le fond du plat de cuisson dans le cas où le gâteau au café sera servi après être retiré du plat.
- Graisser et couvrir le fond des plats de cuisson avec le papier ciré s'il est nécessaire de renverser pour retirer du plat. NE PAS GRAISSER ET NE PAS METTRE DE FARINE DANS LES PLATS.
- Graisser le Bol à gateau.*
- Utiliser les coupes dans lesquelles est placé le papier pour moule à gâteau ou Tasse à gâteau* pour cuire les muffins.
- Vérifier les pains rapides et les gâteaux au café au milieu de la cuisson. Si quelques parties sont en train de cuire plus rapidement que les autres, tourner le plat de 180°; continuer à cuire.
- Vérifier l'état de cuisson en introduisant un cure-dent près du centre—il doit ressortir propre.
- Laisser reposer sur une surface plate, couvert, 10 à 15 minutes pour finir la cuisson.
- Retirer du plat et découvrir avec soin le papier ciré pour faire légèrement refroidir ou laisser refroidir dans un plat pendant 5 minutes.
- Mettre de côté, couvert, jusqu'à l'heure de servir.

Des accessoires spéciaux du four à micro-ondes.

PREPARATION DES PATES A PAIN

ARTICLES	RECEIPIENT	TEMPS DE CUISSON (en min.)	TEMPS DE REPOS, COUVERT (en min.)
Gâteau au café (14 onces)	plat rond de 8 pouces	9½ à 11½	10
Variété de fruits (16 à 19 onces)	plat rond de 8 pouces	11½ à 13½	10
Pain de maïs (12 onces)	plat rond de 8 pouces	7½ à 9½	10
Pain au gingembre	plat rond ou carré de 8 pouces ou Bol à gâteau de micro-ondes* (6 tasses)	7½ à 9½	5
Pain rapide (14½ à 17 onces)	Bol à mélanger en verre, avec le papier ciré au fond	10½ à 12½	15

CHERRY BRUNCH ROLLS

Approx. Cooking Time: 5 min.
Yield: 10 rolls

¼ cup chopped marachino cherries	**¼ teaspoon ground cinnamon**
1 cup brown sugar	**1 can (8 oz.) refrigerated biscuits**
¼ cup flaked coconut	**⅓ cup butter or margarine, melted**

1. Combine ½ cup brown sugar, cherries, coconut and cinnamon; sprinkle into 8-inch or 1½-quart round baking dish with small glass inverted in center to form ring shape.
2. Dip each biscuit into melted butter and then in remaining brown sugar. Arrange biscuits on top of cherry mixture; sprinkle remaining sugar over ring. Heat 3½ to 4½ minutes.
3. Remove glass; let stand, covered, 5 minutes before inverting on serving platter. Store, covered, until ready to serve.

BANANA NUT COFFEE CAKE

Approx. Cooking Time: 10 min.
Yield: about 8 servings

¼ cup shortening, melted	**½ cup chopped nuts**
¼ cup milk	**¾ teaspoon baking powder**
1 egg	**½ teaspoon salt**
½ cup mashed ripe banana (about 1)	**¼ teaspoon baking soda**
½ cup brown sugar	**Nut Topping**
1 cup all-purpose flour	

1. Combine shortening milk, egg, banana and sugar; add flour, nuts, baking powder, salt and baking soda, stirring only until flour is moistened.
2. Pour into greased 8-inch round baking dish; sprinkle with Nut Topping. Heat 9 to 10 minutes; let stand, covered, 10 minutes. Store, covered, until ready to serve.

*Nut Topping: *Combine ¼ cup brown sugar, ¼ cup chopped nuts, 2 tablespoons flour and ⅛ teaspoon ground cinnamon; blend in 1 tablespoon softened butter or margarine.*

PETIT PAIN AUX CERISES POUR LE PETIT DEJEUNER

Temps Approx. de Cuisson: 5 min.
Rendement: 10 petits pains

¼ tasse de marasques hachées
1 tasse de cassonade
¼ tasse de coco haché
¼ cuillerée à café de cannelle hachée

1 boîte (8 onces) de biscuits
réfrigérés
⅓ tasse de beurre ou de
margarine fondus

1. Mélanger ½ tasse de cassonade, les cerises, le coco et la cannelle; verser dans un plat du cuisson rond de 8 pouces ou de 1½ pintes, avec un petit verre renversé au centre pour former la forme de cercle.
2. Tremper chaque biscuit dans le beurre fondu et puis dans le reste de la cassonade. Arranger les biscuits sur le haut du mélange de cerises; saupoudrer le cercle de reste du sucre. Chauffer 3½ à 4½ minutes.
3. Retirer le verre; laisser reposer, couvert, 5 minutes avant de renverser sur le plat de service. Conserver, couvert, jusqu'à l'heure de servir.

GATEAU A CAFE AUX BANANES ET AUX NOIX

Temps Approx. de Cuisson: 10 min.
RENDEMENT: environ 8 portions

¼ tasse de matière grasse, fondue
¼ tasse de lait
1 oeuf
½ tasse de banane mure mise en
purée
½ tasse de cassonade
1 tasse de farine tout usage

½ tasse de noix hachées
¾ cuillerée à café de poudre levain
½ cuillerée à café de sel
¼ cuillerée de bicarbonate de
soude
Chapelure aux noix

1. Mélanger la matière grasse, le lait, l'oeuf, la banane et le sucre; ajouter la farine, les noix, la poudre levain, le sel et le bicarbonate de soude, en remuant seulement jusqu'à ce que la farine soit bassinée.
2. Verser dans un plat de cuisson de 8 pouces graissé et rond; saupoudrer de chapelure aux noix.* Chauffer 9 à 10 minutes; laisser reposer, couvert, 10 minutes. Conserver, couvert, jusqu'à l'heure de servir.

*Chapelure aux noix: *Mélanger ¼ tasse de cassonade, ¼ tasse de noix hachées, 2 cuillerées à soupe de farine et ⅛ cuillerée à café de cannelle hachée; Mélanger en remuant 1 cuillerée à soupe de beurre ou de margarine ramollis.*

Memo

Sweets and Treats

PREPARING PUDDING AND PIE FILLING MIXES

- Combine ingredients according to package directions.
- Use a glass container twice the volume of the mix.
- Heat for time given in chart, stirring twice during the cooking.
- Serve chilled.

PUDDING AND PIE FILLING MIX	COOK TIME (in min.)
Regular Pudding and Pie Filling	
2 servings (about 3 to 4 oz.)	7 to 9
6 servings (about 5 to 5½ oz.)	11 to 13
Rice Pudding (3¾ oz.)	7 to 9
Egg Custard (3 oz.)	7 to 9
Tapioca Pudding (3¼ oz.)	7 to 9

PREPARING PIE CRUSTS (8 or 9-inch single crust)

- Lightly grease glass pie plate before lining with pastry.
- Before cooking, prick bottom and sides of pastry with fork and brush with dark corn syrup (for sweet fillings), vanilla (for non-sweet), Worcestershire or soy sauce.
- If desired, substitute ½ cup whole wheat flour for ½ cup all-purpose flour when preparing pastry from scratch.
- For frozen crust, put into a 8 or 9-inch glass pie plate; heat ½ minute, then prick crust and brush (as directed above).
- Recipe testing for graham cracker crust was prepared with ¼ cup butter (softened), 1¼ cup crumbs and ¼ cup sugar.
- Let stand to cool (chill crumb crusts).

ITEM	COOK TIME (in min.)
From Scratch or Mix	5 to 7½
Frozen	6 to 8
Graham Cracker or Cookie Crumb	2 to 3

Sucreries et Délices

PREPARATION DU PUDDING ET DE LA GARNITURE DE TARTE

- Mélanger les ingrédients suivant les directions du paquet.
- Utiliser un récipient en verre du double volume de la pâte.
- Chauffer pendant le temps donné dans le tableau, en remuant 2 fois pendant la cuisson.
- Servir réfrigéré.

PUDDING ET GARNITURE DE TRADE	TEMPS DE CUISSON (en min.)
Pudding régulier et Garniture de tarte	
2 portions (environ 3 à 4 onces)	7 à 9
6 portions (environ 5 à 5½ onces)	11 à 13
Pudding de riz (3¾ onces)	7 à 9
Oeufs au lait (3 onces)	7 à 9
Tapioca au lait (3¼ onces)	7 à 9

PREPARATION DES CROUTES DE TARTE (Croûte en seule couche de 8 ou 9 pouces)

- Graisser légèrement l'assiette à tarte en verre avant de recouvrir de patisserie.
- Avant la cuisson, percer le fond et les bords de patisserie avec une fourchette et brosser avec le sirop de maïs foncé (pour les garnitures sucrées), la vanille (pour les non sucrées), le fromage Worcestershire ou la sauce soja.
- Si vous voulez, substitufer ½ tasse de farine de blé entier à ½ tasse de farine tout usage pour préparer la patisserie improvisée.
- Pour la croûte congelée, mettre dans l'assiette à tarte en verre de 8 à 9 pouces; chauffer ½ minute, et puis percer la croûte et brosser (comme indiqué ci-dessus).
- L'essai de recette pour la croûte de biscuits à la grosse farine de son est préparé avec ¼ tasse de beurre (ramolli), 1¼ tasses de miettes et ¼ tasse de sucre.
- Laisser reposer pour refroidir (réfrigérer les miettes des croûtes).

ARTICLE	TEMPS DE CUISSON (en min.)
Patisserie ou pâte instantanée	5 à 7½
Congelé	6 à 8
Biscuits à la grosse farine de son ou miettes de biscuits	2 à 3

FRUIT CAKE

Approx. Cooking Time: 18 min.
Yield: about 5 to 6 servings

6 eggs
⅓ cup firmly packed dark brown sugar
6 cups coarsely chopped walnuts
⅓ cup brandy
3 tablespoons honey
1¾ cups diced red candied cherries
¾ teaspoon nutmeg

1¾ cups diced green candied cherries
¾ cup softened butter or margarine
¾ cup flour
¾ teaspoon salt
¾ teaspoon baking powder
¾ teaspoon allspice

1. Sift flour, salt, baking powder, nutmeg and allspice together and set aside. Combine candied cherries and walnuts in another bowl. Set aside.
2. Cream butter in a large mixing bowl until smooth. Gradually beat in honey and sugar until smooth. Blend in eggs one at a time. Add flour mixture and beat until smooth. Beat in brandy. Fold in nut-cherry mixture.
3. Pour batter into a large, deep, casserole dish, cover with wax paper and heat for 16 to 18 minutes until a wooden toothpick comes out clean when inserted into the center. Let cake stand 20 minutes. Turn on to serving platter.

QUICK BAR COOKIES (FROM MIX)

Approx. Cooking Time: 7 min.
Yield: about 16 bars

1 package (12 oz.) chocolate chip cookie mix

Ingredients as package directs

1. Prepare mix according to package directions. Spread dough into ungreased 8 or 9-inch round baking dish. Heat 5½ to 6½ minutes.
2. Let stand, covered, until cool. Store, covered, until ready to serve.

GATEAU AUX FRUITS

Temps Approx. de Cuisson: 18 min.
Rendement: environ 5 à 6 portions

6 oeufs
⅓ tasse de cassonade foncée
fermement empaquetée
6 tasses de noisettes grossièrement
hachées
⅓ tasse de cognac
3 cuillerées à soupe de miel
1¾ tasses de cerises rouges confites,
coupées en tranches
¾ tasses de cerises vertes confites,
coupées en tranches

1¾ tasse de beurre ou de margarine
ramollis
¾ tasse de farine
¾ cuillerée à café de sel
¾ cuillerée à café de poudre levain
¾ cuillerée à café de noix de
muscade
¾ cuillerée à café de quatre-
épices

1. Tamiser la farine, le sel, la poudre levain, les noix muscade et les quatre-épices ensemble et mettre de côté. Mélanger les cerises confites et les noisettes dans un autre bol. Mettre de côté.
2. Battre en crème le beurre dans un grand bol jusqu'à l'état uniforme. Ajouter doucement en battant le miel et le sucre jusqu'à l'état uniforme. Mélanger les oeufs l'un après l'autre. Ajouter le mélange de farine et battre jusqu'à l'état uniforme. Ajouter en battant le cognac. Ajouter en rabattant le mélange de noix et de cerise.
3. Verser la pâte dans une grande casserole profonde, couvrir avec la papier ciré et chauffer pendant 16 à 18 minutes jusqu'à ce que le cure-dent de bois introduit dans le centre ressorte propre. Laisser reposer le gâteau 20 minutes. Placer sur le plat de service.

BARRES RAPIDES (INSTANTANES)

Temps Approx. de Cuisson: 7 min.
Rendement: environ 16 barres

1 paquet (12 onces) de pâte de biscuit
au chocolat instantané

Ingrédients comme indique le
paquet

1. Préparer la pâte suivant les directions du paquet. Etendre la pâte dans un plat de cuisson rond de 8 à 9 pouces non graissé. Chauffer 5½ à 6½ minutes.
2. Laisser reposer, couvert, jusqu'à ce qu'elle devienne froide. Conserver, couvert, jusqu'à l'heure de servir.

PLANTATION COCONUT CAKE

Approx. Cooking Time: 14 min.
Yield: about 8 servings

1 package (18½ oz.) yellow cake mix
**1 package (3¾ oz.) instant coconut
cream or toasted coconut pudding
mix**
4 eggs
1 cup water

¼ cup oil
**1 jar (12 oz.) strawberry or raspberry
preserves**
Creamy Glaze*
Flaked coconut

1. With electric mixer, combine cake mix, pudding mix, eggs, water and oil; beat
   at medium speed 4 minutes.
2. In greased 10 to 12-cup glass Bundt dish, pour batter; heat 12½ to 14 minutes.
   Let stand, covered, 15 minutes before inverting onto serving platter. Let stand,
   covered, until cool.
3. Split cake into 3 layers; spread in between each layer with preserves. Drizzle
   with Creamy Glaze and top with coconut. Store, covered, until ready to serve.

*Creamy Glaze: *Combine until smooth 1½ cups confectioners sugar, 2½
tablespoons milk and 2 tablespoons butter or margarine,
softened. If desired, add 2 drops red food coloring.*

RAISIN BREAD PUDDING

Approx. Cooking Time: 25 min.
Yield: about 6 servings

2 cups milk
¼ cup butter or margarine
5 eggs, beaten
1 cup sugar

1 teaspoon vanilla extract
**4 cups cubed raisin bread (about
16 slices)**
⅛ teaspoon ground cinnamon

1. In 1-quart glass measure, heat milk and butter 4½ to 5½ minutes until milk
   is scalded; quickly sitr in eggs, ½ cup sugar and vanilla.
2. Meanwhile, in 3-quart casserole with inverted glass in center, arrange bread
   cubes; sprinkle with remaining sugar and cinnamon. Pour milk-egg mixture
   over bread. Heat, covered, 17 to 19 minutes until pudding is set. Serve
   warm or chilled.

GATEAU AUX COCOS

Temps Approx. de Cuisson: 14 min.
Rendement: environ 8 portions

**1 paquet (18½ onces) de pâte de
   gâteau jaune**
**1 paquet (3¾ onces) de crème de coco
   instantanée ou de pâte de pudding de
   coco grillée**
4 oeufs

1 tasse d'eau
¼ tasse d'huile
**1 jarre (12 onces) de fraises ou de
   framboises en conserve**
Glace à la crème *
Coco haché

1. Avec un mélangeur électrique, mélanger la pâte de gâteau, la pâte de pudding,
   les oeufs, l'eau et l'huile; battre à la vitesse moyenne 4 minutes,
2. Dans un plat Bundt en verre graissé de 10 à 12 tasses, verser la pâte. Chauffer
   12½ à 14 minutes. Laisser reposer, couvert, 15 minutes avant de renverser
   sur le plat de service. Laisser reposer, couvert, jusqu'à ce qu'elle devienne
   froide.
3. Couper le gâteau en 3 couches; et étendre les conserves entre chaque couche.
   Saupoudrer de Glace à la crème* et garnir le haut de cocos; conserver,
   couvert, jusqu'à l'heure de servir.

*Glace à la crème: *Mélanger jusqu'à l'état uniforme1 ½ tasses de sucre glace,
   2½ cuillerées à soupe de lait et 2 cuillerées à soupe
   de beurre ou de margarine ramollis. Si vous voulez, ajouter
   2 gouttes de colorant rouge.*

PUDDING DE PAIN AUX RAISINS

Temps Approx. de Cuisson: 25 min.
Rendement: environ 6 portions

2 tasses de lait
¼ tasse de beurre ou de margarine
5 oeufs battus
1 tasse de sucre

1 cuillerée à café d'extrait de vanille
**4 tasses de pain aux raisins
   en cubes (environ 16 tranches)**
**⅛ cuillerée à café de cannelle
   hachée**

1. Dans un bol en verre de 1 pinte, chauffer le lait et le beurre 4½ à 5½ minutes
   jusqu'à ce que le lait soit ébouilli; Mélanger en remuant rapidement les oeufs,
   ½ tasse de sucre et la vanille.
2. Pendant ce temps, dans une casserole de 3 pintes avec un verre renversé
   au centre, arranger les cubes de pain; saupoudrer de reste de sucre et de
   cannelle. Verser le mélange de lait et d'oeuf sur le pain. Chauffer, couvert,
   17 à 19 minutes jusqu'à ce que le pudding soit dur. Servir chaud ou réfrigéré.

BAKED APPLES

Approx. Cooking Time: 11 min.
Yield: 4 servings

4 large baking apples (about 6 oz. ea.)
¼ cup brown sugar
2 tablespoon finely chopped nuts or
raisins

¼ teaspoon ground cinnamon
2 tablespoons butter or margarine
¼ cup water

1. Core apples, leaving small plus in blossom end; peel skin 1-inch from top. Combine sugar, nuts and cinnamon; fill apples with mixture.
2. In baking dish, arrange apples; dot with butter and sprinkle with water. Heat, covered, 9 to 11 minutes, turning dish once. Let stand 7½ minutes; serve warm or chilled, spooning sauce over apples.

Note: **For TWO servings,** *follow above procedure. Halve all ingredients; heat apples 4½ to 6 minutes.*
For ONE serving, *heat apples 2 to 3½ minutes.*

BUTTERSCOTCH FUDGE

Approx. Cooking Time: 16 min.
Yield: about 3 pounds

3 cups sugar
¾ cup butter or margarine
1 can (5⅓ oz.) evaporated milk
1 package (12 oz.) butterscotch
flavored pieces *

1 jar (7½ oz.) marshmallow creme

1 cup chopped walnuts
1 teaspoon vanilla extract
10 drops yellow food coloring
(optional)
1 drop red food coloring (optional)

1. In 2½-quart casserole dish, combine sugar, butter and milk; heat 13½ to 16 minutes until sugar is dissolved, stirring twice.
2. Add remaining ingredients and stir until butterscotch is melted. Turn into well greased oblong baking dish. Chill until firm; cut squares to serve.

*Variation:
For CHOCOLATE Fudge, *use 1 package (12 oz.) semi-sweet choloate pieces; omitfood coloring.*

TARTE AUX FRUITS

Temps Approx. de Cuisson: 11 min.
Rendement: environ 8 portions

1 boîte (21 onces) de garniture de tarte préférée
¼ tasse de raisins (option)
1 cuillerée à café de jus de citron ou d'orange
⅛ cuillerée à café de cannelle hachée

Fond de patisserie de 8 ou 9 pouces cuit
½ tasse de farine tout usage
¼ tasse de cassonade
¼ tasse de beurre ou de margarine ramollis

1. Mélanger la garniture de tarte, les raisins, le jus de citron et la cannelle; verser dans la croûte préparée.
2. Mélanger ensemble le reste des ingrédients; émietter sur la garniture. Chauffer 8 à 11 minutes jusqu'à ce qu'ils soient parfaitement chauffés; refroidir avant de servir.

OEUFS A LA CREME ET AU LAIT

Position de Puissance: HIGH
                         DEFROST
Temps Approx. de Cuisson: 14 min.
Rendement: 6 portions

2 tasses de lait
4 oeufs battus
¼ à ⅓ tasse de sucre

½ cuillerée à café d'extrait de vanille
Noix muscade hachée

1. Dans un bol en verre de 1 pinte, chauffer le lait 6 à 7½ minutes sur HIGH jusqu'à ébullition; ajouter, en remuant, rapidement les oeufs, le sucre et la vanille. Verser dans 6 coupes graissées (6 onces chacune); saupoudrer de noix de muscade.
2. Sur la plaque en verre du four, disposer les plats en forme circulaire. Chauffer 5½ à 7 minutes sur DEFROST jusqu'à ce que le sucre soit fondu et brun léger en réarrangenant les plats une fois. Laisser reposer jusqu'à ce qu'ils soient froids.

Variante:
Pour OEUFS AU LAIT CARAMELISES, *dans un petit bol en verre, chauffer ½ tasse de sucre et 3 cuillerées à soupe d'eau sur HIGH pendant 6 à 7½ minutes jusqu'à ce que le sucre soit fondu et brun léger. Verser dans les coupes graissées, inclinant les tasses pour recouvrir le fond. Procédér comme indiqué ci-dessus.*

Memo

Beverages

HOT MOCHA MILK

Approx. Cooking Time: 6 min.
Yield: 2 servings

3 tablespoons chocolate syrup
1½ cups milk
¼ teaspoon cinnamon

1 teaspoon instant coffee
Whipped Cream

1. Combine an equal amount of chocolate syrup, instant coffee, and cinnamon in two mugs or cups.
2. Stir in milk, set time 4½ to 6 minutes until hot.
3. Do not allow apple juice to boil. Garnish with dollop of whipped cream in each cup.

APRICOT TEA

Approx. Cooking Time: 12 min.
Yield: 4 servings (8 oz. ea.)

3 cups water
4 tea bags
4 tablespoons apricot preserves*
4 tablespoons apricot brandy (optional)*

Sugar to taste
Sweetened whipped cream or whipped topping
Ground nutmeg or cinnamon

1. Into each of 4 mugs, pour ¾ cup water heat 4½ to 5 minutes.
2. For each drink, add one tea bag; brew 4½ to 7½ minutes. Stir in 1 tablespoon preserves, 1 tablespoon brandy and sugar.
3. Top with whipped cream and dash nutmeg.

Variation: Try a variety of jelly, jam or preserves and fruit-flavored brandies.

Note: For TWO servings, *follow above procedure. Halve all ingredients; heat water 3 to 3½ minutes.*
For ONE serving, *heat water 1½ to 2 minutes.*

Boissons

MOKA AU LAIT CHAUD

Temps Approx. de Cuissance: 6 min.
Rendement: 2 portions

3 cuillerées à soupe de sirop au
 chocolat
1½ tasses de lait
¼ cuillerée à café de cannelle

1 cuillerée à café de café
 instantané
Crème fouettée

1. Mélanger une quantité égale de sirop au chocolat, de café instantané et de cannelle dans deux tasses.
2. Mélanger en remuant le lait. Régler le temps pour 4½ à 6 minutes jusqu'à ce qu'ils soient chauds.
3. Ne pas faire bouillir le jus de pommes. Garnir dans chaque tasse avec la motte de crème fouettée.

THE D'ABRICOTS

Temps Approx. de Cuisson: 12 min.
Rendement: 4 portions (8 onces chacune)

3 tasses d'eau
4 sachets de thé
4 cuillerées à soupe de confiture
 d'abricot*
4 cuillerées à soupe de cognac aux
 abricots (option)*

Sucre suivant le goût
Crème sucrée et fouettée ou
 chapelure battue
Noix muscade ou cannelle
 hachées

1. Dans chacune des 4 tasses, verser ¾ tasse d'eau; chauffer 4½ à 5 minutes.
2. Pour chaque boisson, ajouter le sachet de thé; infuser 4½ à 7½ minutes. Mélanger en remuant 1 cuillerée à soupe de confiture, 1 cuillerée à soupe de cognac et le sucre.
3. Saupoudrer le haut de crème fouettée et d'une pincée de noix musquade.

*Variante: *Essayer une variéte de gelée, de confiture ou de conserves et de cognacs arômés de fruits.*

Note: **Pour DEUX portions,** *Suivre le procédé au-dessus. Réduire tous les ingrédients de moitié; chauffer l'eau 3 à 3½ minutes.*
Pour UNE portion, *chauffer l'eau 1½ à 2 minutes.*

IRISH COFFEE

Approx. Cooking Time: 5 min.
Yield: 4 servings (about 6 oz. ea.)

2 to 3 cups strong coffee
4 teaspoons sugar

6 ounces Irish whiskey
Sweetened whipped cream

1. Into each of 4 cups, pour ½ to ¾ cup coffee; heat 4 to 5 minutes.
2. For each drink, stir in 1 teaspoon sugar and 1½ ounces Irish whiskey; top with whipped cream.

Note: **For TWO servings,** *follow above procedure. Halve all ingredients; heat coffee 2 to 3 minutes.*
For ONE serving, *heat coffee 1½ to 2 minutes.*

ORANGE BURST

Power Level: HIGH
            DEFROST
Approx. Cooking Time: 16 min.
Yield: about 4 servings (8 oz. ea.)

3 cups apricot nectar
1 cup orange juice

2 cinnamon sticks, broken
1 teaspoon whole cloves

1. In 4-cup glass measure, combine all ingredients and heat 10½ to 12 minutes on HIGH.
2. Continue cooking on DEFROST an additional 5 to 6 minutes. To serve, strain into mugs and garnish, if desired, with orange slices.

Variation: *Into each mug, stir in ½ tablespoon rum.*

CAFE IRLANDAIS

Temps Approx. de Cuisson: 5 min.
Rendement: 4 portions (environ 6 onces chacune)

2 à 3 tasses de café fort
4 cuillerées à café de sucre

6 onces de whiskey d'Irlande
Creme sucrée et fouettée

1. Dans chacune des 4 tasses, verser ½ à ¾ tasse de café; chauffer 4 à 5 minutes.
2. Pour chaque boisson, mélanger en remuant 1 cuillerée à café de sucre et 1½ onces de whiskey d'Irlande; saupoudrer le haut de crème fouettée.

Note: **Pour DEUX portions,** *suivre le prodédé ci-dessus. Réduire tous les ingrédients de moitié; chauffer le café 2 à 3 minutes.*
Pour UNE portion, *chauffer le café 1½ à 2 minutes.*

ORANGE BURST

Position de Puissance: HIGH→DEFROST
Temps Approx. de Cuisson: 16 min.
Rendement: environ 4 portions (8 onces chacune)

3 tasses de nectar d'abricot
1 tasse de jus d'orange

2 branches de cannelle battues
1 cuillerée à café de clous de girofle

1. Dans un bol en verre de 4 tasses, mélanger tous les ingrédients et chauffer 10½ à 12 minutes sur HIGH.
2. Continuer à cuire sur DEFROST pendant 5 à 6 minutes supplémentaires. Pour servir, tamiser dans les tasses et garnir, si vous voulez, avec les tranches d'orange.

Variante: *Dans chaque tasse, mélanger en remuant ½ cuillerée à soupe de rhum.*

Memo

Special Extras

JAM AND JELLY

With the help of your microwave oven, you can escape the toil associated with preparing these special sweets. Many of the jam basics will remain the same as you change to the microwave way. Just follow each recipe and the hints-below to insure your first microwave jam will be the best ever.

- Use a large glass bowl or casserole dish (4 or 6-quart).
- Stir mixture two or three times during first third of cooking to dissolve the sugar.
- Wait until the mixture comes to a full rolling boil as the recipes direct. Be patient!
- Stir and skim foam off mixture, if necessary, (5 to 7 minutes).
- Ladle into hot sterlized glasses or jars. Seal with thin (⅛ to ¼-inch) layer of parafin.
- Properly sealed and stored (in a cool, dry place) jams and jellies will keep at least 1 year.

Important Note: *In hot and humid climates, the U.S. Department of Agriculture recommend storing Jams in jars with two-part lids and processing in hot water bath for 5 to 15 minutes (This can NOT be done in microwave ovens!) Contact your local extension service for specific details.*

STRAWBERRY JAM

Approx. Cooking Time: 34 min.
Yield: about 6½ cups

4 packages (10 oz. ea.) frozen straw-berries in heavy syrup, thawed
5 cups sugar

2 tablespoons lemon juice
½ ounce bottle liquid pectin

1. In large glass bowl, thoroughly combine strawberries, sugar and lemon juice. Heat 30 to 33 minutes until mixture comes to a full boil, stirring occasionally during first 10 minutes. Heat additional 2 minutes.
2. Stir in pectin and skim off any foam; stir and skim foam for about 10 minutes. Ladle into glasses; seal with parafin.

Extra spéciaux

CONFITURE ET GELEE

Grâce à l'aide de votre four à micro-ondes, vous pouvez être libéré de la peine associée à la préparation de ces sucreries spéciales. Beaucoup de matières de base de gelée resteront les mêmes lorsque vous employerez votre four à micro-ondes. Juste suivre chaque recette et les conseils ci-dessous pour vous assurer de meilleurs résultas pour votre première gelée faite dans le four à micro-ondes.

- Utiliser un grand bol en verre ou une casserole (4 ou 5 pintes)
- Remuer le mélange deux ou trois fois pendant le premier tiers du temps de cuisson pour dissoudre le sucre.
- Attendre jusqu'à ce que le mélange atteigne la pleine ébullition suivant les directions de recette. Soyez patient!
- Remuer et enlever l'écume du mélange, si cela est nécessaire. (5 à 7 minutes)
- Verser avec une louche dans les verres ou les pots stérilisés par chaleur d'eau. Envelopper avec la couche mince (⅛ à ¼ pouce) de paraffine.
- Les confitures et les gelées proprement enveloppées et conservées se garderont 1 année.

Note importante: *Au climat chaud et humide, le Département d'Agriculture recommandent de conserver les confitures et les gelées avec les couvercles doubles et de plonger dans le bain d'eau chaude pendant 5 à 15 minutes (ce qui NE peut PAS être fait dans les fours à micro-ondes!). Consulter le service d'autorités de votre région pour les détails spéciaux.*

CONFITURE DE FRAISES

Temps Approx. de Cuisson: 34 min.
Rendement: environ 6½ tasses

4 paquets (10 onces chacune) de fraises dans le sirop épais, décongelées
5 tasses de sucre

2 cuillerées à soupe de jus de citron
½ de pectine liquide en bouteille de 6 onces

1. Dans un grand bol en verre bien mélanger les fraises, le sucre et le jus de citron chauffer 30 à 33 minutes jusqu'à ce que le mélange atteigne la pleine ébullition, en remuant de temps en temps pendant les premières 10 minutes. Chauffer pendant 2 minutes supplémentaires.
2. Ajouter en remuant la pectine et enlever l'écume pendant environ 10 minutes. Verser dans les verres avec une louche; envelopper avec de la paraffine.

GRAPE JELLY

Approx. Cooking Time: 28 min.
Yield: about 3 cups

2 cups grape juice   **½-6 ounce bottle liquid pectin**
3½ cups sugar

1. In large glass bowl, thoroughly combine juice and sugar. Heat 15 to 18 minutes until mixture is boiling, stirring twice during first 6 minustes of cooking.
2. Stir in pectin and heat 6 to 9 minutes until mixture comes to a full boil. Heat additional 2 minutes skim off any foam.
3. Ladle into glasses; seal with parafin.

GELEE DE RAISINS

Temps Approx. de Cuissance: 28 min.
Rendement: environ 3 tasses

2 tasses de jus de raisins
3½ tasses de sucre

½ de pectine liquide en bouteille
de 6 onces

1. Dans un grand bol en verre bien mélanger le jus et le sucre. Chauffer 15 à 18 minutes jusqu'à ce que le mélange soit bouillant, en remuant deux fois pendant les premières 6 minutes de cuisson.
2. Ajouter en remuant la pectine et chauffer 6 à 9 minutes jusqu'à ce que le mélange atteigne la pleine ébuilition, Chauffer pendant 2 minutes supplémentaires, enlever toute l'écume.
3. Verser dans les verres avec une louche; envelopper avec de la paraffine.

Appendix

INFORMATION FOR COOKING FROZEN CONVENIENCE FOODS

ITEM	COOK TIME (in min.)	SPECIAL TECHNIQUES
APPETIZERS		
Bite Size	3½ to 6	Heat 12 at a time on paper towel lined paper plate or microwave oven roasting rack. Brush pastry items with Worcestershire sauce.
MAIN DISH		
Hearty T.V.-Style Dinner (17 oz.)	11 to 14	If container is ¾-inch deep, remove foil cover and replace foil tray in original box.
Regular T.V.-Style Dinner (11 oz.)	7 to 10½	
Entree		For containers more than ¾-inch deep, remove food to similar size glass container; heat, covered if no top crust. Stir occasionally, if possible.
(8 to 9 oz.)	8 to 11	
(21 oz.)	22½ to 25½	
(32 oz.)	25½ to 28½	
Macaroni and Cheese		
(8 oz.)	8 to 10	
Pot Pie (8 oz.)	9 to 11	Brush top of pot pie worcestershire sauce.
Breakfast Entree (4 to 5 oz.)	2 to 3½	
French Toast		
2 pieces	1 to 2	
4 pieces	2 to 3	
Waffles		
2 pieces	1½ to 2½	
4 pieces	3 to 4	
Fried Chicken		
2 pieces	5½ to 7	Arrange on paper towel lined paper plate, covered with paper towel.
4 pieces	7 to 8	
6 pieces	10 to 11	
Fried Fish Fillets		
2 fillets	3 to 4	
4 fillets	5 to 6	

Appendice

INFORMATION POUR LA CUISSON DES ALIMENTS PRATIQUES CONGELES

ARTICLE	TEMPS DE CUISSON (en min.)	TECHNIQUES SPECIALES
AMUSE-GUEULES Volume à mordre	3½ à 6	Chauffer 12 en même temps sur une assiette dans laquelle est placée la serviette en papier ou sur le gril de rôtissage du four à micro-ondes
PLAT DE RESISTANCE Dîner copieux de style T.V. (17 onces)	11 à 14	Si le récipient a ¾ pouce de profondeur, enlever la couverture et replacer la plaque d'aluminium dans la boîte d'origine.
Dîner régulier de style T.V. (11 onces)	7 à 10½	Pour les récipients d'une profondeur de plus de ¾ pouce, mettre les aliments de même volume; chauffer, couvert, s'il n'y a pas de croûte au haut.
Entrée (8 à 9 onces)	8 à 11	
(21 onces)	22½ à 25½	Remuer de temps en temps si cela
(32 onces)	25½ à 28½	est possible.
Macaroni et fromage (8 onces)	8 à 10	Brosser le haut de pâte à pot
Tarte à pot (8 onces)	9 à 11	avec la sauce Worcestershire
Entrée de petit-déjeuner (4 à 5 onces)	2 à 3½	
Toast à la française 2 pièces	1 à 2	
4 pièces	2 à 3	
Gauffre à l'américaine 2 piéces	1½ à 2½	
4 piéces	3 à 4	
Poulet frit 2 morceaux	5½ à 7	Arranger sur une assiette couverte de serviette en papier.
4 morceaux	7 à 8	
6 morceaux	10 à 11	
Filets de Poisson Frits 2 filets	3 à 4	
4 filets	5 à 6	

ITEM	COOK TIME (in min.)	SPECIAL TECHNIQUES
Fish Cakes		
4 cakes	5 to 6	
Pizzas (individual)		
1	2 to 3½	Arrange on microwave oven roasting
2	4 to 5½	rack.
4	7 to 8	
Pouch Dinners		
(5 to 6 oz.)	5½ to 7	Pierce pouch, set on saucer.
(10 to 11 oz.)	10 to 11	
SIDE DISHES		
Baked Stuffed Potatoes		
2	14 to 16½	Heat in original containers and box.
4	21 to 23½	Let stand 5 minutes after cooking
Vegetables in Pouches	10½ to 13½	Pierce pouch, set on saucer.
Frozen Potato Puffs (10 oz.)	3 to 4½	Heat on paper plate, covered with paper towel, stirring once.

ARTICLE	TEMPS DE CUISSON (en min.)	TECHNIQUES SPECIALES
Gâteaux au Poisson		
4 gâteaux	5 à 6	
Pâtés (individuel)		Arranger sur le gril de rôtissage
1	2 à 3½	du four à micro-ondes
2	4 à 5½	
4	7 à 8	
Dîners au Sachet		
(5 à 6 onces)	5½ à 7	Percer le sachet, mettre sur
(10 à 11 onces)	10 à 11	une soucoupe.
Hors-d'Oeuvre		
Pommes de terre farcies au four		
2	14 à 16½	Chauffer dans les récipient et la
4	21 à 23½	boîte d'origine. Laisser reposer 5 minutes après la cuisson.
Légumes dans les sachets	10½ à 13½	Percer le sachet, mettre sur une soucoupe.
Tourtelets de pommes de terre, congelés. (10 onces)	3 à 4½	Chauffer sur l'assiette en papier, couvert de serviette en papier, en remuant une fois.

COOKING CANNED GOODS

- Empty contents of can into serving dish.
- Heat, covered.
- Stir occasionally during cooking.
- After cooking, let stand 4 minutes before serving.

ITEM	COOK TIME (in min.)
Baked Beans (8 oz.)	2 to 3½
(15 to 16 oz.)	5 to 6
Chow Mein (15 to 16 oz.)	4 to 5½
Corned Beef Hash (15 oz.)	4 to 5½
Macaroni and Cheese (15 oz.)	5½ to 7
Sloppy Joe (15 oz.)	6 to 7½
Ravioli (15 oz.)	5½ to 7

For Your Information

HIGH ALTITUDE COOKING
Different cooking times are not necessary when cooking at high altitudes. However, because the possibility of shrinkage is greater, meats, fish and poultry should be loosely covered when cooking. For baked goods, follow high altitude directions for preparing batter. Cover loosely with wax paper and watch cooking carefully. Cutting cooking time back slightly and warpping slightly cooled baked goods in foil will help create a satisfactory product.
Check with the Home Service Department of your local utility company or with your country Extension Service for additional help.

INGREDIENT SUBSTITUTION
It is always best to use the exact ingredients called for in any recipe, but we have all found ourselves in the "I though I had . . ." situation.
The following is a list of foods and acceptable substitutes for those sticky emergencies:
Baking Powder (1 t.) . . . . . . ¼ teaspoon baking soda *plus* ½ teaspoon cream of tartar
Buttermilk (1 cup) . . . . 1 cup milk *plus* 1 tablespoon vinegar OR lemon juice
Chocolate,
Semi-Sweet (2 oz.). . . . . ⅓ cup semi-sweet chocolate pieces
Chocolate,
Unsweetened (1 oz.) . . . . . . 3 tablespoons cocoa *plus* 1 tablespoon shortening
Corn Syrup (½ cup) . . . . . . ½ cup sugar *plus* 2 tablespoons liquid

CUISSON DES ALIMENTS EN BOITE

- Vider le contenu de boîte dans le plat de service.
- Chauffer, couvert.
- Remuer de temps en temps pendant la cuisson.
- Après la cuisson, laisser reposer 4 minutes avant de servir.

ARTICLE	TEMPS DE CUISSON (en min.)
Fèves au four (8 onces)	2 à 3½
(15 à 16 onces)	5 à 6
Chow Mein (15 à 16 onces)	4 à 5½
Hachis de boeuf salé (15 onces)	4 à 5½
Macaroni et fromage (15 onces)	5½ à 7
Sloppy Joe (15 onces)	6 à 7½
Ravioli (15 onces)	5½ à 7

Pour Votre Information

CUISSON A HAUTE ALTITUDE

Les différents temps de cuisson ne sont pas nécessaires lorsqu'on cuit à haute altitude. Cependnt, puisque la possibilité de rétrécissement est plus grande, les viandes, le poisson, et le poulet doivent être couverts sans serrer pendant la cuisson. Pour les aliments au four, suivre les directions de haute altitude pour la pâte de base. Couvrir sans serrer avec le papier ciré et surveiller la cuisson avec soin. C'est bon pour aider à créer un produit satisfaisant de réduire un peu le temps de cuisson et d'envelopper légèrement les aliments au four rafraîchis dans le papier d'aluminium.

Pour l'aide supplémentaire, consulter le Départment de service domestique de l'entreprise de service de besoins publics ou le service d'autorités de votre région.

SUBSTITUTION D'INGREDIENT

C'est toujours meilleur d'utiliser les ingrédients mêmes indiqués dans chaque recette, mais nous nous sommes tous trouvés nous-mêmes dans la situation de "Je pensais que j'avais . . . "

La liste suivante est les aliments et les succédanés acceptables pour les cas imprévus et inévitables.

Poudre levain (1 cuillerée à café). . . . . ¼ cuillerée à café de bicarbonate de soude plus ½ cuillerée à café de crème ou de tartar

Beurre au lait (1 tasse) . . . . 1 tasse de lait plus 1 cuillerée à soupe de vinaigre ou de jus de citron

Chocolat semi-sucré (2 onces). . . . . . . ⅓ tasse de morceaux de chocolat semi-sucré

Chocolat sans sucre (1 onces). . . . . . . 3 cuillerées à soupe de cocoa plus 1 cuillerée à soupe de matière grasse

Sirop de maïs (½ tasse) . . . . ½ tasse de sucre plus 2 cuillerée à soupe de liquide

Cornstarch (1 t.) . . . . 2 tablespoons flour
Cake Flour (1 cup) . . . . ¾ cup and 2 tablespoons all-purpose flour *plus* 2
tablespoons cornstarch
Garlic (1 clove) . . . . ⅛ teaspoon dried garlic flakes OR garlic powder
Grated Fresh Fruit
Peel (1 T.) . . . . ½ teaspoon dried grated peel
Green Pepper
(W T. chopped) . . . . 1 tablespoon dried pepper flakes
Herbs, Fresh (1 t.) . . . . ⅓ to ½ teaspoon dried
Honey (1 cup) . . . . 1¼ cups sugar *plus* ¼ cup liquid
Milk (1 cup) . . . . ½ cup evaporated milk *plus* ½ cup water OR ¼ cup
nonfat dry milk powder *plus* 1 cup water and 2
tablespoons butter
Onion
(¼ cup chopped) . . . . 1 tablespoon dried onion flakes OR 1 teaspoon onion
powder

METRIC CONVERSION CHART FOR WEIGHT AND MEASURES:

The United States in currently going through the transition to the Metric System.
The following metric equivalents are for converting ingredients that may be
purchased by metric measures as well as temperature equivalents.

1 teaspoon . . . . 5 milliliters (ml)
1 tablespoon . . . . 15 milliliters
½ cup . . . . 125 milliliters
1 cup . . . . 250 milliliters
1 quart . . . . 1 liter (1000 milliliters)

TEMPERATURES

Fahrenheit	Celsius	Fahrenheit	Celsius
115°	46°	150°	66°
120°	49°	155°	68°
125°	52°	160°	71°
130°	54°	165°	74°
135°	57°	170°	77°
140°	60°	175°	79°
145°	63°	180°	82°

MASS MEASURES

Metric	Imperial	Metric	Imperial
15g	½oz	280g	9oz
30g	1oz	315g	10oz
60g	2oz	345g	11oz
90g	3oz	375g	12oz
125g	4oz (¼lb)	410g	13oz
155g	5oz	440g	14oz
185g	6oz	470g	15oz
220g	7oz	500g (0.5kg)	16oz
250g	8oz (½lb)		

Fécule de maïs (1 cuillerée à café) . . . 2 cuillerées à soupe de farine
Farine de gâteau (1 tasse) . . . . ¾ tasse et 2 cuillerées à soupe de farine
tout usage plus 2 cuillerées à soupe de
fécule de maïs
Ail (1 gousse). . . . . ⅛ cuillerée à café de tranches d'aïl séchées
ou de poudre d'aïl
Zeste de fruit frais et rapé
(1 cuillerée à soupe). . . . . ½ cuillerée à café de zeste séché et rapé
Poivron (2 cuillerées à soupe, haché) . 1 cuillerée à soupe de tranches de poivron
séchées
Herbes fraîches (1 cuillerée à café). . . ⅓ à ½ cuillerée à caté, séché
Miel (1 tasse). . . . . 1 ¼ tasses de sucre plus ¼ tasse de
liquide
Lait (1 tasse) . . . . ½ tasse de lait évaporé plus ½ tasse d'eau
ou ¼ tasse de poudre de lait sec non gras
plus 1 tasse d'eau et 2 cuillerées à soupe
de beurre
Oignon (¼ tasse, haché) . . . . 1 cuillerée à soupe de tranches d'oignon
sechées ou 1 cuillerée à café de poudre
d'oignon

TABLEAU DE CONVERSION METRIQUE POUR POIDS ET MESURES:

Les Etats-Unis sont couremment dans la phase de transition en Système métrique.
Les équivalants métriques suivants sont pour les ingrédients convertis qui peuvent
être achetés par les mesures métriques ainsi que les équivalents de température.

1 cuillerée à café. . . . . 5 millilitres (ml)
1 cuillerée à soupe . . . . 15 millilitres
½ tasse . . . . 125 millilitres
1 tasse . . . . 250 millilitres
1 pinte. . . . . 1 litre (1000 millilitres)

TEMPÉRATURES

Fahrenheit	Centigrade	Fahrenheit	Centigrade
115°	46°	150°	66°
120°	49°	155°	68°
125°	52°	160°	71°
130°	54°	165°	74°
135°	57°	170°	77°
140°	60°	175°	79°
145°	63°	180°	82°

POIDS

Métrique	Impérial	Métrique	Impérial
15g	½once	280g	9onces
30g	1once	315g	10onces
60g	2onces	345g	11onces
90g	3onces	375g	12onces
125g	4onces (¼lb)	410g	13onces
155g	5onces	440g	14onces
185g	6onces	470g	15onces
220g	7onces	500g (0.5kg)	16onces
250g	8onces (½lb)		

LENGTH

Metric	Imperial	Metric	Imperial
5mm	¼inch	15cm	6inch
10mm (1cm)	½inch	18cm	7inch
20mm (2cm)	¾inch	20cm	8inch
25mm (2.5cm)	1inch	23cm	9inch
5cm	2inch	25cm	10inch
8cm	3inch	28cm	11inch
10cm	4inch	30cm	12inch
12cm	5inch		

Defrosting Guide

POWER LEVEL: DEFROST

FOOD	AMOUNT	FIRST HALF TIME/ MINUTES	SECOND HALF TIME/ MINUTES	COMMENTS
MEAT				
Bacon	1 package	2 to 3 per lb.	2 to 3 per lb.	Place unopened package in microwave oven. Turn over after first ½ of time. Let stand 5 minutes. Microwave just until strips can be separated.
Franks	1 pound	3 to 5	None	Place unopened package in microwave oven. Microwave just until franks can be separated.
	½ pound	1½ to 2½	None	
Ground, Beef & Pork	1 pound	3	3	Turn meat over end of end after first ½ of Time. Scrape off softened meat after second ½ of time. Set aside. Break up remaining block, microwave 2 to 3 minutes more.
	2 pounds	4	3½ to 4	Turn end to end after first ½ of time. Scrape off softened meat after second ½ of time. Set aside. Break up remaining block, microwave 1 to 2 minutes more.
Spareribs, Pork (2 lbs.)	1 package	2 to 4 per lb.	2 to 3 per lb.	Place wrapped package in microwave oven. Turn over after first ½ of time. After second ½ of time separate pieces with table knife. Let stand to complete defrosting.

Métrique	Impérial	Métrique	Impérial
5mm	¼pouce	15cm	6pouces
10mm (1cm)	½pouse	18cm	7pouces
20mm (2cm)	¾pouce	20cm	8pouces
25mm (2.5cm)	1pouce	23cm	9pouces
5cm	2pouces	25cm	10pouces
8cm	3pouces	28cm	11pouces
10cm	4pouces	30cm	12pouces
12cm	5pouces		

Guide de Decongelation

Sélection: DEFROST
(Décongélation)

NOURRITURE	QUANTITE	1er MINUTAGE /MINUTE	2e MINUTAGE /MINUTE	DIRECTIONS
VIANDE				
Bacon	1 paquet	2 á 3 par livre	2 à 3 par livre	Placez le paquet non-ouvert dans le four micro-ondes. Retournez après la première moitié du temps. Laissez reposer 5 min. Chauffez juste assez pour séparer les tranches facilement.
Saucisses fumées	1 livre ½ livre	3 à 5 1½ à 2½	0 0	Placez le paquet non-ouvert dans le four. Chauffez jusqu'à séparation facile.
Boeuf et porc haché	1 livre	3	3	Retournez après le 1er minutage. Grattez le dessus de la viande décongelée. Mettez-la de côté. Brisez le bloc restant, chauffez 2 à 3 minutes.
	2 livres	4	3½ à 4	Retournez après le 1er minutage. Grattez la viande décongelée. Mettez-la de côté. Brisez le bloc, chauffez encore 1 ou 2 minutes.
Côtelettes de porc dans l'échine (2 livres)	1 paquet	2 à 4 par livre	2 à 3 par livre	Placez le paquet enveloppé dans le four. Retournez après le 1er minutage. Aprés le séparez avec un couteau de cuisine. Laissez reposer jusqu'à décongélation complète.

Defrosting Guide

FOOD	AMOUNT	FIRST HALF TIME/ MINUTES	SECOND HALF TIME/ MINUTES	COMMENTS
Steaks, Chops & Cutlets; Beef, Lamb, Pork & Veal	1 package	2 to 4 per 1b.	2 to 4 per 1b.	Place wrapped package in microwave oven. Turn over after first ½ of time. After second ½ of time, separate pieces with table knife, let stand to complete defrosting.
Sausage, Bulk	1-lb. tray or roll	2 to 3	2 to 3	Scrape off softened meat after second ½ of time. Set aside. Break up remaining block, micwowave 2 to 3 minutes more. Turn roll over after first ½ of time.
Sausage, Link	1 pound	2	1 to 2	Turn over after first ½ of time.
Sausage, Patties	12-oz. pkg.	2	1 to 2	Turn over after first ½ of time. Let stand 5 minutes.
POULTRY Chicken, Broiler-fryer, Cut up	2½ to 3 lb.	7 to 8	7 to 8	Place wrapped chicken in microwave oven. After ½ of time, unwrap and turn over. After second ½ of time, separate pieces and place in cooking dish. Microwave 2 to 4 minutes more, if necessary.
Whole	2½ to 3 lb	9 to 11	9 to 11	Place wrapped chicken in microwave oven. After ½ of time, shield warm areas with foil.
FISH & SEAFOOD Fillets	1 pound	4	4 to 6	Place unopened package in microwave oven. (If fish is frozen in water, place in cooking dish.) Rotate ¼ turn after first ½ of time. After second ½ of time, hold under cold water to separate.
Shellfish, small pieces	1 pound	3½ to 4	3½ to 4	Spread shellfish in single layer baking dish. Rearrange pieces after first ½ of time.
Shellfish, blocks Crab Meat	6-oz. pkg.	2 to 3	2 to 3	Place block in casserole. Turn over and break up with fork after first ½ of time.
Shellfish, large Crab Legs	1 to 2 8 to 10-oz.	3	2½ to 3	Arrange in cooking dish with light underside up. Turn over after first ½ of time.

Guide de Decongelation

NOURRITURE	QUANTITE	1er MINUTAGE /MINUTE	2e MINUTAGE /MINUTE	DIRECTIONS
Steaks, cotelettes et escaloppes de boeuf, agneau porc et veau.	1 paquet	2 à 4 par livre	2 à 4 par livre	Placez le paquet enveloppé dans le four. Retournez après le 1er minutage. Après le 2e minutage, séparez avec un couteau de table, laissez reposer jusqu'à décongélation compléte.
Grosse saucisse	Rouleau paquet d' d'une lb.	2 à 3	2 à 3	Enlevez la partie décongelée après le 2e minutage. Rangez. Avec les doigts, brisez le reste. Chauffez encore 2 à 3 minutes. Retournez après le 1er minutage.
Saucisse liée	1 livre	2	1 à 2	Retournez après la première moitié du temps.
Saucisse en coiffe	Paquet de 12 onces	2	1 à 2	Retournez après le 1er minutage, laissez repose 5 minutes.
VOLAILLE Morceaux de poulet	2½ à 3 livres	7 à 8	7 à 8	Placez le poulet dans le four. Après le 1er minutage déballez et retournez. A la fin du 2e minutage, séparez les pièces, placez sur une assiette et chauffez encore de 2 à 4 minutes si nécessaire.
Poulet entier	2½ à 3 livres	9 à 11	9 à 11	Placez le poulet enveloppé dans le four. Après le 1er minutage emballez les parties décongelées avec un cellophane.
POISSONS ET FRUITS DE MER Filets	1 livre	4	4 à 6	Placez le paquet dans le four. (Si congelé dans l'eau, placez dans une assiette). Faites pivoter ¼ de tour après le 1er minutage. Après le 2e minutage, passez sous l'eau.
Crustacés en petits morceaux	1 livre	3½ à 4	3½ à 4	Etendez les sur une assiette. Retournez-les après le 1er minutage.
Crustacés en pâté ou viande de crabe	Paquet de 6 onces	2 à 3	2 à 3	Placez le bloc dans une casserole. Retournez et brisez avec une fourchette après le 1er minutage.
Crustacés entiers, pattes de crabes	1 à 2 8 à 10 onces	3	2½ à 3	Placez dans une assiette (à l'envers). Retournez après le 1er minutage.

Defrosting Guide

POWER LEVEL: DEFROST

FOOD	AMOUNT	FIRST HALF TIME/ MINUTES	SECOND HALF TIME/ MINUTES	COMMENTS
BREADS, CAKES				
Bread or Buns	1-lb. pkg.	1	1½ to 2	Turn over after first ½ of time.
Heat & Serve Rolls	7-oz. pkg.	1	½ to 1	Rotate ½ turn after first ½ of time.
Coffee Cake	9 to 13-oz.	1	1½ to 2	Rotate ½ turn after first ½ of time.
Sweet Rolls	8¾ to 12-oz.	2	1½ to 2½	Rotate ½ turn after first ½ of time.
Doughnuts	1 to 3	½ to 1	None	No turn needed.
Doughnuts, Glazed	1 box of 12	2	2 to 3	Rotate ½ turn after first ½ of time.
French Toast	2 slices	2	1½ to 2	Rotate ½ turn after first ½ of time.
Cake, frosted	2 to 3 layer 17-oz.	1	1 to 2	Rotate ½ turn after first ½ of time.
Pound Cake	11¼-oz.	1 to 2	1 to 2	Rotate ½ turn after first ½ of time.
Cheesecake, plain or fruit top	17 to 19-oz.	2	2 to 3	Rotate ¼ turn after first ½ of time. Let stand 5 minutes to complete defrosting.
Fruit	10 to 16-oz.	1¼	1¼	Remove foil. Place package in microwave oven. After first ½ of time, break up with fork. Repeat if necessary.
Fruit, plastic pouch	1 to 2 10-oz. pkgs.	2	1 to 2	Place package in microwave oven. After first timing, flex package.
Fruit or Nut Pie	18-in.	3½ to 4	3 to 5	Rotate ½ turn after first timing.
Cream or Custard Pie	10 to 14-oz.	1½	1 to 2½	Rotate ½ turn after first ½ of time.

Guide de Decongelation

NOURRITURE	QUANTITE	1er MINUTAGE /MINUTE	2e MINUTAGE /MINUTE	DIRECTIONS
PAINS ET PATISSERIES				
Pains ou petits pains	Paquet d'une lb.	1	1½ à 2	Retournez après le 1er minutage.
Petits pains "Chauffer et servir"	Paquet de 7 onces	1	½ à 1	Faites pivoter d'½ tour aerès le 1er minutage.
Gâteau au café	9 à 13 onces	1	1½ à 2	Faites pivoter d'½ tour après le 1er minutage.
Gâteaux roulés	8¾ à 12 onces	2.	1½ à 2½	Faites pivoter d'½ tour après le 1er minutage.
Beignes	1 à 3	½ à 1	0	Pas besoin de retourner.
Beignes glacés	1 boite de 12	2	2 à 3	Faites pivoter d'½ tour après le 1er minutage.
Toast dorées	2 tranches	2	1½ à 2	Faites pivoter d'½ tour après le 1er minutage.
Gâteau glacé	2 à 3 couches	1	1 à 2	Faites pivoter d'½ tour après le 1er minutage.
Gâteau aux fruits	11¼ onces	1 à 2	1 à 2	Faites pivoter d'½ tour après le 1er minutage.
Gâteau au fromage avec garniture de fruits	17 à 19 onces	2	2 à 3	Faites pivoter d'½ de tour après le 1er minutageet Laissei. Reposer 5 minutes pour une décongélation complète.
Fruits congelés	10 à 16 onces	1¼	1¼	Développez, placez le paquet dans le four. Après le 1er minutage, brisez avec une fourchette. Répétez si nécessaire.
Fruits en sachets	1 à 2 sachets de 10 onces	2	1 à 2	Placez dans le four après le 1er minutage. Plier le sachet.
Tarte aux fruits	1 à 8 pouces	3½ à 4	3 à 5	Faites pivoter d'½ tour après le 1er minutage.
Tarte à la crème et flan	10 à 14 onces	1½	1 à 2½	Faites pivoter d'½ tour après le 1er minutage.

Memo